李國修
戲劇作品集 02
Collected Plays of Hugh K.S. Lee

莎姆雷特

莎姆雷特　目錄

序

007　創意達人李國修的創造力歷程　吳靜吉

011　經典堆疊起一座如高牆的屏風　廖瑞銘

017　手心會冒汗　李國修

莎姆雷特

031　編導的話　李國修

035　劇本閱讀說明

041　版本說明

043　劇情簡介

046　場次結構表

049　劇本

附錄

187　關於李國修

193　關於屏風表演班——一個台灣的藝術奇蹟

198　李國修戲劇作品集與屏風表演班作品關係表

創意達人李國修的創造力歷程

吳靜吉

政大創造力講座主持人／名譽教授

　　李國修劇作集系列套書終於在引頸期盼下出版了。

　　累積二十六年創作及其演出的作品，在整個世界尤其是華人社會特別重視創意、創新和創業精神的創造力之今天，意義非凡。每一部作品都是從創意的發想啟動然後創新實踐地完成劇本寫作，而每一齣戲的製作演出都是創新的冒險，必需經過觀眾、票房和劇評家的重重考驗。在一個多數決策者、社會菁英和一般民眾，並沒有把觀賞舞台劇表演當作文化認同的養份之台灣，考驗更難、冒險更大。

　　李國修構思屏風表演班創團經營二十六年至今，我們可以從他作品中感同身受他創業的酸甜苦辣，所以他說：「一個戲班子在舞台上搬演一齣戲，戲裡戲外都在反映戲台下的人生即景。我喜歡在舞台上藉一個戲班子的故事影射台灣這個社會；我偏好『戲中戲』的題材，因為我始終認為舞台上戲班子的人情世故就是這個時代的縮影。」

李國修是一個創意無限、執行力強的劇作家，每一個劇本的演出，他同時扮演導演和劇團領導人等等的多重角色，和歐、美、日、中、韓不必扮演多重角色的劇作家不同，他卻能在二十六年內完成二十七部劇作而且部部呈現在觀眾眼前。這樣的創作流暢力真的是奇蹟，他每一部作品都是獨創而有意義的創意構思，以《京戲啟示錄》為例，他可以流暢地創意組合「一位堅持做手工戲靴的父親。一個亂世中企圖重振頹勢的戲班子。一段探索父子、傳承、戲劇與人生，令人神往的故事。」這麼多複雜元素的創意組合，他卻成功地將故事敘說得合情合理，令觀眾感同身受而流淚、回憶反思而讚嘆。

　　李國修的作品都能夠重新詮釋自己成長記憶中的生命故事，選擇性地反映社會樣貌，他的自我反思、對社會的關懷、對戲劇的激情、理性和感性兼具的創作表現、對複雜元素的抽絲剝繭再統整發展的素養、舉一反三的學習能力、落實的想像力、忍得住創作的寂寞又能堅持原則、抗拒外在誘惑的毅力樣樣難能可貴，這樣的李國修就是研究創造力的學者專家所描述的創意人。

　　他戲劇的另外一個特色就是悲喜交集的故事發展，他的幽默和笑點的掌握、文字的運用、人物的刻劃和劇情的結構，我們也可以因此稱他為說故事的奇葩。

　　他的創作歷程體現了王國維在《人間詞話》中所謂古今之成大事業、大學問者，必經過三種之境界。

「昨夜西風凋碧樹。獨上高樓，望盡天涯路。」

「衣帶漸寬終不悔，為伊消得人憔悴。」

「眾裡尋他千百度，回頭驀見，那人正在燈火闌珊處。」

台灣戲劇的發展，急需更多的好劇本，只當劇作家很難生存，集編導於一身加上領導一個戲劇團體又能在二十六年中創造二十七部好劇本實在難上加難，但李國修做到了。希望這二十七部的劇作集能夠讓華語的戲劇界增添演出選擇的機會和戲劇教育中學習探究的教材。

經典堆疊起一座
如高牆的屏風

廖瑞銘

中山醫學大學台灣語文學系教授兼通識中心主任

　　「國修要出劇本全集了！」這是台灣現代劇場的盛事，也是文學史上的大事。二十六年來，屏風表演班每年發表一至二齣新作，建立「以戲養戲」的營運模式，2005年以後，更以舊作做經典定目劇場的演出，為台灣現代劇場史創下許多傳奇的記錄——單一劇團演出總場次之多，累積觀眾人次之多，劇作重演次數之多，最重要的是集編導演於一身的單一劇作家創作量之多——這些記錄使屏風／李國修成為台灣劇場活動中的佼佼者。

　　李國修劇作從初期的小劇場實驗劇、小說改編的劇作發展到大劇場寫實劇，作品的題材、形式及風格都有不斷地突破與創新。總的來說，國修的劇作有以下幾項成就，這些成就堆疊起來一座如高牆的屏風，格局壯麗雄偉，戲劇風格辨識度極高，讓後來者很難超越，更無從模仿。

一、與時代同步發展，與觀眾沉浸在共同的歷史情境，關懷國族與土地。

李國修堅持原創實驗、本土庶民的創作精神，每一齣作品都是台灣現代人民生命歷史的記錄。早期「備忘錄系列」——《民國76備忘錄》、《民國78備忘錄》以年度時事做素材，「三人行不行系列」——《三人行不行I》、《三人行不行II—城市之慌》、《三人行不行III—OH！三岔口》、《三人行不行IV—長期玩命》、《三人行不行V—空城狀態》等，是從時事及城市現象觀察出發，講當代台灣人的政治、社會態度。《我妹妹》講眷村故事、《蟬》講六〇年代台北文藝青年、《女兒紅》及《京戲啟示錄》講經歷1949年國共變局的家族故事、《六義幫》回憶六〇年代中華商場的兒時情境、《西出陽關》講老兵的故事，《救國株式會社》諷刺台北的治安、媒體，《太平天國》講台灣人在世紀末的恐慌與焦慮。

二、創造戲劇角色典型，精確掌握人性。

李國修在每一齣戲都創造各式各樣的角色典型，藉著這些典型來鋪排人世間的親情、愛情與人情義理。這些典型的角色也都是你我生活週遭常見人物的寫照，像《三人行不行III—OH！三岔口》的郭父，是常見的台灣歐吉桑，講求實際利益、又有情有義；他的女婿Peter就是十足投機的年輕商人。《西出陽關》的老齊是戰後到台灣的老兵典型。《徵婚啟事》講到更多台灣寂寞男人的典型。創造這些角色典型，顯示國修對於人性掌握的精確、細微。

三、精巧建構「李氏戲劇結構學」，穿越時空。

　　李國修在每一齣劇本都附上獨特的場次、角色結構表，這可以說是他的獨門絕學——「李氏戲劇結構學」。這種精巧建構的「劇場結構」成就了李國修劇作的劇場形式不斷地實驗與創新，戲劇情節可以在不同的時空靈活流動、穿越，增加戲劇張力與敘事多樣性。

四、編導演一體成型的全方位戲劇藝術，劇本有畫面，是一座紙上舞台。

　　李國修劇作的另一個特色是「編導合一的戲劇創作觀」，他的劇本絕對不會是單純的書齋劇，每一本都具有劇場可演性，而且都是自己擔綱演出過。也因此，國修在劇作中不時表達他對劇場生態的關懷及經營劇團的甘苦經驗。像「風屏劇團系列」多次呈現經營劇團的困境；《徵婚啟事》也是鑲進「某劇團」的排演過程，以增加戲劇張力。

五、走出書齋，與觀眾同喜同悲，超越商業票房意義。

　　雖然屏風曾經有票房悽慘，甚至出現經營危機的時候，但是，大部份的演出都是有亮麗的票房記錄，說明李國修的劇作所具有的商業魅力。這種魅力更精確的解讀是，李國修每一齣劇作都能夠走出書齋，與觀眾同喜同悲。李國修隨時與觀眾做時代對話，即使是舊作重演，都一定要與時俱進的修改後，才推出演出。

六、多語言的戲劇美學，突顯台灣多元文化的特色。

因為每一齣戲都從實際生活中取材，創造不同的角色典型，李國修堅持讓角色自己說話，所以，在他的劇作中自然出現多語言的對白，有國語、閩南語、客語、山東話、上海話、英語、日語、香港廣東話、新加坡華語……等，不但使得劇中角色鮮活、增加戲劇趣味性，也無意中突顯了台灣多元文化的特色。

七、台灣文學與戲劇的交會，豐富台灣文學史的戲劇區塊。

李國修崛起於八〇年代中期，其戲劇作品一定程度反映了台灣的土地與人民，延展出的多面性與時代意義，不僅提供外省族群在台灣生活的觀察視角，也使作品成為帶有「本土化」色彩的另類歷史文本。尤其是李國修的作品相當程度擺脫了戰後台灣外省人文學常有的哀愁基調，相對展現出不同的意義格外值得我們重視。

將李國修的劇作放進台灣文學領域來觀察，可以為戲劇文學創作開創新的閱讀視野，值得一提的是，李國修曾經從三本不同時代的台灣小說作品——林懷民的《蟬》、陳玉慧的《徵婚啟事》及張大春的《我妹妹》——改編成舞台劇上演，創造了戰後台灣文學與戲劇的交會，同時豐富了台灣文學史的戲劇區塊。

李國修的作品曾經以戲劇文學的身份被放入台灣文學的領域來討論，並獲得肯定，在1997年以《三人行不行》系列作品獲頒第三屆巫永福文學獎，也因此使戲劇文學連帶受到重視，提昇了地位。如今，李國修出版劇作全集，充分展現了他在戲劇創作的質與量的驚人成就，可以當做台灣現代劇場運動的實踐成果，看到他在台灣劇場史的地位，也驚艷台灣戲劇文學的經典呈現。

手心會冒汗

李國修
自序

從來沒有人教我如何寫劇本

1986年10月6日，屏風表演班創建。

創團作品——《1812與某種演出》一齣肢體語言實驗劇，在我規劃與引導之下的集體創作。當時的社會環境與氛圍，小劇場創作必須有別於商業劇場，我也依循著前人的模式，自以為是地繼承了實驗劇場的精神。一、脫離一切戲劇形式（不在劇場裡說故事）。二、表達新的戲劇方法（簡約、抽象、或寫意的語言、肢體與主題）。三、過程大於結果（支離破碎的思想、浮光掠影的想像、漫無邊際的形式）。四、只要盡興（創作者自我滿足與集體自我陶醉）。

在實驗的大旗下，《1812與某種演出》首演五個場次，約五百人次觀賞，我確定沒有一個人看懂這齣戲。事實上它不是一齣戲，它由兩個部份組成。《1812》用柴可夫斯基〈1812序曲〉為背景音樂，以集體肢體演繹在城市裡有著一股壓抑著現代人生存的隱形暴力，讓人喘不過氣。《某種演出》採擷了三

個歷史殘篇——〈三娘教子〉、〈十八相送〉、〈十二金牌〉在同一時空壓縮並陳，旨在陳述城市中處處充滿不安的危機、殺機與轉機。

我必須承認，我有包袱，一開始我以為做劇場就該承接前人的使命——劇場是嚴肅的、劇場是深沈的、劇場是探索思想的殿堂、劇場是不能提供娛樂的殿堂、劇場是與觀眾鬥智的場域、劇場是不能做讓觀眾看得懂戲的場域、劇場是批判政治亂象的最後一塊淨土……於是，那個年代小劇場的作品內容多半都是嚴肅、沈悶、闡述思想、批判政治、嘲諷時事。有些作品內容甚至已經漫無主題，不知所云。是的，我也承接了這樣的包袱。

創團作品首演之後，我必須承認我很沮喪。我問自己，為什麼要在劇場做戲？為什麼要在劇場做一齣讓觀眾看不懂的戲？看著觀眾搖頭嘆息地走出劇場，我的心情是低落的、不安的、自責的……

我有勇氣寫劇本

在那個年代，我找不到一個劇本書寫格式的範例，也找不到關於編劇技巧的工具書，我只能硬著頭皮鼓足勇氣，走進書房攤開稿紙，寫了屏風第二回作品《婚前信行為》。我想像即將新婚的妻子在婚前去找他的前男友，最後一次求歡以結束這段難忘的戀情。不巧，前男友的老友來送喜帖，赫然發現他的新嫁娘也在現場。藉著這個作品，我試著向實驗劇場劃清界

線。我要說一個故事，我以為觀眾進劇場，至少他們可以看見一個故事，一個可能與他成長經歷有關的故事。但我承認我還有包袱，我似乎不由自主地在戲裡灌進了一點故作批判社會的主題。在故事中，我刻意讓準新娘在中途脫離劇情，硬逼兩位男主角對社會不公不義現象表態，演出因而暫停，劇情因此而停滯。

三個演員不能解決與本劇無關的社會亂象，最終他們還是回到劇情裡演完了他們的故事。《婚前信行為》發表之後，我依然忐忑不安，我知道，我的故事說的並不完整，劇中的角色並不真實可信。

其實我不擅長說故事

1982年～1984年，我在華視，小燕姐（張小燕）主持的《綜藝100》演短劇，也編劇，1985年，我與顧寶明合作《消遣劇場》綜藝節目，身兼短劇編導演，這樣的背景；是我在屏風創作喜劇的養分，有其優點也有缺點。

優點是，我的喜劇就是很好笑，我有瘋狂的想像力，我有許多荒謬的點子，我喜歡運用各種看似平淡無奇的元素重組成充滿趣味與諧謔的喜劇情境。缺點是，沒有深度，主題薄弱，人物缺少靈魂、思想、慾望甚至目標。屏風第三回作品《三人行不行I》、第五回作品《民國76備忘錄》、第六回作品《西出陽關》、第七回作品《沒有我的戲》、第九回作品《三人行不行II—城市之慌》、第十三回作品《民國78備忘錄》等，

在屏風創團的前三年，不難發現都是短劇集結的作品，他們共通點是——每一齣戲都沒有一個完整的故事。坦白說，我還不知道如何組織一個好故事，我還沒有能力說一個超過兩小時的長篇故事，創團前三年我只能發揮編導喜劇的專長，在小劇場裡搬演，也戲稱自己在小劇場裡練功。我練導演功，也練編劇功。在小劇場裡，我的導演調度處理過一面觀眾席，兩面觀眾席，三面觀眾席。在編劇部份，我不斷地探索喜劇的可能性，演員面對角色創造的最大極限。於是在一齣戲裡，一人飾演多角，成為我作品的特色，在編劇技巧的自我修練中，竟也無心插柳地走出自己的風格。

其中，最令我自豪的部份是——堅持原創。我認為選擇一個翻譯劇本演出，是便宜行事，是二手創作。我自信創作的素材就在身邊，就在自己腳踩著的這片土地上。

自由自在的飛

我是摩羯座，我很守法，我很守規則。做任何事之前，我總想知道規則是什麼？遊戲怎麼玩？在遊戲中的危險程度是什麼？遊樂場到底有多大？當我熟悉了整個遊樂場的環境，我玩遍了所有的遊戲，我深入瞭解了規則的原理之後，我成為最不守規則的人。我決定自闢一個遊樂場，建立起自己的規則，我邀請大家進入我的遊樂場展開一場驚奇的旅程。

我破壞了規則，建立自己的規則，在我的作品中，逐漸顯現我人格上這樣的特質。誰規定劇本創作，只能獨立成個

體？我硬是創作了《三人行不行》系列，第一～五集；風屏劇團系列，三部曲加李修國外傳《女兒紅》；誰規定在劇場的演出結束後，才能謝幕？我在《莎姆雷特》裡硬是把謝幕放在戲的開始。誰規定鏡框式的舞台就該墨守成規，框架成一個場景情境的場域，我在《六義幫》裡就要去除兩邊的翼幕，讓故事在舞台上任意穿梭。魔羯就是這樣——認識規則，遵守規則，破壞規則，建立自己的規則。目的只有一個字——「飛」！自由自在地飛！

小劇場是大劇場的上游

第十一回作品《半里長城》，是屏風創團兩年半之後，首度登上大劇場的作品。《半里長城》風屏劇團首部曲，這齣戲中戲裡有兩個故事，一是風屏劇團團員的分崩離析、兒女私情；一是呂不韋由商從政的稗官野史。劇本的結構原型部份靈感源自於《沒有我的戲》。兩齣風格、內容、形式完全不相同的作品，都是在演出進行過半之後，竟宣告全劇將正式開演。是的，我在小劇場練功，累積了我躍上大劇場創作的養分，我鍾情於小劇情的無拘無束，我想念在小劇場裡拼鬥的日子。

回憶起童年，記得在小學三年級，某一個週日，我好奇地拆開了一只鬧鐘，我想研究內部的機械構造究竟是什麼樣的零組件，可以讓分針、時針移動，還會響鈴？一個下午將近五個小時。最終，我無法組裝成原樣，桌子上多了一些小齒輪、彈簧片。我知道這只鬧鐘不會再響，第二天上學也足足遲到一

個小時。兩個禮拜之後，我再度拆開那只鬧鐘，我不相信它會毀在我的手裡。同樣也是五個小時，少年的我，才知道「皇天不負苦心人」這句話的真諦。鬧鐘復活了，只是響鈴的聲音比從前的音量低了一倍，我深深地憶起當時在組裝時手心不停地冒汗。

完成了《半里長城》裡的《萬里長城》劇本時，我知道我不會讓戲就這麼平鋪直述的演完，我不安分，我不守規則，我在書房裡，想像讓自己回到了小劇場，讓自己回到了童年，我要無拘無束，我要拆鬧鐘，我十分用力地拆解了《萬里長城》的劇本，重新組裝成情境喜劇《半里長城》。我努力地找到了自己編劇的方法，找到了自己說故事的方式，我越來越喜歡把簡單的人事景物情搞成複雜的結構，原來和我童年拆鬧鐘的個性相關。

什麼先行？

我深信一個好的戲劇作品，應該具備四個精神：一、對人心現象的呈現及反省。二、對人性的批判或闡揚。三、對人性的挖掘及程度。四、技巧與形式的講究。

在我面對每一個作品創作前，一定會有一個念頭閃過腦海——什麼先行？也可以說原始靈感來自何方？是感動？是一首歌？一幅畫？一種情境？……我的每一齣戲靈感來源都不盡相同，在創作每一齣戲隨著年歲閱歷的增長，所投入的情感也越加濃郁，從創作中也逐漸梳理出自己的信仰。每齣戲有了

靈感之後，會問自己兩個問題：一、為什麼要寫這齣戲？二、這齣戲跟這個時代有什麼關係？這幾年我更聚焦在作品裡呈現生命的故事……

述說生命的故事

　　1996年屏風十週年推出《京戲啟示錄》是我創作旅程中的轉捩點作品。平心而論，在《京》戲之前我的作品多是純屬虛構，純賴想像力完成的故事，直至四十而不惑的我，才驀然回首我的前半生，尤其在屏風那十年裡，我僅只是透過作品表達我對生活的看法及態度，也可以說那些作品故事鮮少涉及我自身成長經驗。

　　創立屏風後，我攜家帶眷、拉班走唱了十年，回首故往，泫然淚如雨下。原來，作劇場的那股拼鬥的傻勁，全是源自於我父親對我的影響，我感受到了那股傳承的精神與壓力。我坦然自省，我勇敢面對，懷著虔誠與虛心的態度，我認真地面對了「生命」，我開始意識到了生命的可貴、傳承的意義以及堅持地走自己的路是面對人生唯一的執著！在《京戲》劇本落筆之前，我哭掉了兩盒面紙，我也預知多年以後，我將為母親寫一個故事《女兒紅》。自《京戲啟示錄》以後，我也開始學會在舞台上更深刻地呈現生命的故事。

　　當我在組合鬧鐘，我相信鬧鐘會讓我修復的時候，我的手心會冒汗；當我落筆寫下讓我悸動不已的劇本時，我的手心也會不斷地冒汗。這些劇本是：《西出陽關》、《京戲啟示

錄》、《三人行不行IV—長期玩命》、《我妹妹》、《婚外信行為》、《北極之光》、《女兒紅》、《好色奇男子》、《六義幫》。

2013年，屏風表演班將邁入第二十七年，踏過了四分之一世紀。

感謝印刻協力集結了我二十七個劇本，將之付梓面世。

感謝父母給了我生命，

感謝王月、Sven、妹子和我的家人，

感謝吳靜吉、張小燕、林懷民、陳玉慧、張大春、

廖瑞銘、紀蔚然，

感謝指導、協助我創作的親朋好友，

感謝在我劇本裡出現的每一個人物。

如果你要問我，在這廿七個劇本裡，

你最滿意的作品是那一個？

我的回答，從來沒有改變過——

「我最滿意的作品是 下一個！」

莎姆雷特

莎姆雷特

S1 首演日
莎姆雷特死在霍拉旭懷中。

向莎士比亞致敬　　　　　　　　　李國修

　　全世界搞藝術的人都在利用莎士比亞。因為他老人家是通向世界戲劇交流最便捷的橋樑之一。立足台灣，放眼天下⋯⋯是的！我承認我也利用了莎士比亞！

　　擁有2,180萬人口的台灣，我敢大膽地猜測，其中完全熟讀莎翁四大悲劇之《哈姆雷特》原劇作的讀者，全省不會超過1%。這樁事實說明了屏風不需要將《哈姆雷特》全劇五幕二十場，將近四小時演出長度的原劇本搬上舞台。而且我一直懷疑《哈姆雷特》的故事，跟台灣人到底有什麼關係？

　　「That is the question!」偉大的莎翁在《哈》劇處處顯現戲劇之於生活對照，時時洞察人性之詭譎危機，這點我要由衷折服並虔誠地向四百三十幾歲的莎士比亞致敬！

　　「To be, or not to be?」微不足道的我，若果與莎翁相提並論，只有一點超越他老人家──我活著──是的！我決定創作《莎姆雷特》，一齣企圖暗地向莎士比亞致敬，明地嘲弄悲劇《哈姆雷特》的情境喜劇。

《莎姆雷特》戲稱——「一齣與《哈姆雷特》無關，和莎士比亞有染的復仇喜劇。」這也是風屏劇團，繼《萬里長城》之後的雪恥作品。我的創作動機除了先前坦承的秘密之外，更想嘗試：當悲劇碰上悲劇，是否如數學中「負負得正」的原理，可以實驗出「悲悲得喜」的喜劇結果？

　　1992年於全省巡迴演出的《莎姆雷特》已經證實了這個結果。當時各城市的劇場中，每一位觀眾像著了迷般隨著劇情，或傷感、或嘆息，甚至不時傳出一波波「整齊有如麥浪之前仰後合」的狂猛爆笑情景，更驗證了情境喜劇的魅力！

　　修訂版的《莎姆雷特》，我摘演了原劇《哈姆雷特》幾場重要的關鍵場次：「第一幕，第五場」鬼魂要求王子為他復仇；「第三幕，第二場」王子藉戲班演出諷刺父親被叔父陷害；「第三幕，第三場」王子看見丹麥王正在禱告，但他決定暫緩復仇；「第三幕，第四場」王子喚醒沉溺於情歡的母后，她卻看不見鬼魂；「第四幕，第五場」奧菲利亞發瘋，雷歐提斯決心為父復仇；「第五幕，第一場」王子目睹奧菲利亞的葬禮；及全劇之高潮戲「第五幕，第二場」王子刺死丹麥王為父復仇。

　　經過我筆下解構處理，舞台上呈現了風屏劇團搬演《哈》劇關鍵場次，穿插發生風屏團員之間彼此恩怨是非。一幕幕地拼貼重組成「戲中戲」的《莎姆雷特》（詳見場次解構表之情境背景）。

　　屏風表演班在舞台上扮演風屏劇團，是戲。風屏劇團在台

上搬演《哈姆雷特》，是戲。風屏的人物事件遙遙呼應《哈》劇裡雷同的情節故事，是戲。層層套戲地完成了複雜、解構的情境喜劇！

《哈》原劇「第五幕，第一場」，王子手上捧著弄臣的骷髏頭，他對霍拉旭說：「唉！可憐的弄臣郁立克！他生前是一個最會說笑話，非常富有想像力的傢伙！郁立克！現在你還會蹦蹦跳跳，逗得全場捧腹大笑嗎？你沒有留下最後一個笑話在你死後譏笑你自己嗎？……誰知道我們死後會變成一些什麼下賤的東西？誰知道我們也變成骷髏之後，後世人會怎樣譏笑我們？」

唉！偉大的莎士比亞早在四百年前，就已道出喜劇演員在生前的風光與死後的悲涼。

戲劇，的確能在人們的心靈裡，留下一片很難磨滅的記憶與經驗。透過喜劇的手段，完成某種發人深省的目的——這是我在屏風一貫追求的創作目標。

留心！請見諒我再利用莎士比亞一次：「大人！請您善待這般戲子伶人，不可怠慢，他們是這時代的縮影……」

這班戲子伶人？是莎士比亞。是哈姆雷特。是屏風劇團。是屏風表演班。請容許我代表屏風表演班全體職員向莎士比亞——

致上 最敬禮！

（載自1995年12月屏風表演班《莎姆雷特》新版演出節目冊）

劇本閱讀說明

《莎姆雷特》

劇本內容由以下幾個部分組成：

1、關於《莎姆雷特》之戲中戲結構

《莎姆雷特》敘述一個叫做風屏劇團的三流劇團，在排練巡演莎士比亞經典悲劇《哈姆雷特》，但卻因改編者一字之誤，劇名成了《莎姆雷特》。故全劇有兩層的扮演關係。風屏劇團的人事糾紛和《莎》的故事兩者之間互有連結，角色關係互相呼應，戲裡戲外的事件猶如鏡子反射，故角色的名字就是演員名字的顛倒。而「戲中戲」的結構通常也被運用做為「後設劇場」（metadrama）的手法，所謂的「後設劇場」簡單的來說就是「藉由戲劇的形式，來討論戲劇本質」。

2、場次說明

說明各場次的情境、時間、場景、角色。

2.1 情境說明

風屏劇團《莎姆雷特》全省巡迴演出行程依序為台北、台中、台南、高雄。本劇共分為十個場次,分別呈現劇團在巡迴演出期間「排練」或「公演」《莎姆雷特》的情況。

例如S4:

情境:

風屏劇團於台中中山堂排演,段落為原《哈姆雷特》第四幕第五景。但團員紛紛欲在台上解決私人的事情,導致排練數度中斷。

這就表示風屏劇團已經完成台北場的演出,巡迴到台中,並在開演前進行《莎姆雷特》的排練,而本場次排演的段落選自原《哈姆雷特》第四幕第五景。

2.2 角色稱謂

本劇常出現團員排練到一半吵架、或在正式演出中私事公演的情形。為區隔角色狀態,當團員演出《莎》劇時,便以《莎》劇角色名作為其稱謂;當團員跳脫出戲,便以該團員姓名為其稱謂。例如在S2,風屏劇團於開演前進行彩排,場上演員原皆以《莎》劇人物稱之,但因樊耀光不斷地在台上講私人電話,團長李修國立即打斷排練、指責樊耀光,眾人便馬上回復為風屏劇團團員姓名。另部分演員亦身兼劇團職務,故會以不同的身份出現在舞台上,

而且因為劇團的突發狀況連連，一個演員可能在劇中飾演多個角色。例如李修國是團長兼演員（飾演霍拉旭、雷歐提斯、伶王、哈姆雷特）、樊耀光是導演兼演員（飾演國王）、鍾凌欣是排演助理兼演員（飾演貴婦乙、皇后）等……。

3、舞台指示

3.1 以△或（　）表示。舞台劇場技術性調度之指示，如投影字幕、燈亮／暗、燈光變化、中場休息、佈景升降等。

3.2 劇本中，描述場景空間之舞台左、右側，係以觀眾（或讀者）面對舞台之左、右方向為準。

4、演員戲劇動作與情緒指示

4.1 以△表示。場上演員主要戲劇動作之指示，例如上、下場、比武、講電話、暗中出聲等戲劇動作。

4.2 以（　）表示，為演員於台詞進行中所表現的戲劇動作或演員表達角色情緒時的參考建議，例如（憤怒地）、（驚慌地）、（無奈地）。若指示中有「即興」二字，即表示這是因為演員忘詞或場上突發狀況，而臨時編造的台詞。

5、舞台技術

本劇多次於舞台前緣使用巨型白紗幕（長16公尺、高10公尺、面積約600吋），如大幕般遮蓋整個舞台鏡框，可於其上投影影像與文字。白紗幕透過舞台器械操控，可自由升降，當舞台上燈光亮起，白紗幕影像將呈現半透明狀態，觀眾可同時看見演員的戲劇動作與平面影像，呈現出疊影的視覺效果。

6、備註

以上劇本內容之註明與各項指示皆為方便讀者閱讀，若有表演團體或戲劇相關科系欲以《莎姆雷特》為演出劇本，需取得演出同意權後，則可視排練情形，調整舞台上的戲劇動作或重新詮釋演員情緒。

版本說明

前言：

　　李國修劇作集中，共有13齣戲列為定目劇本。所謂「定目劇」的英文是「Repertory Theatre」，原意是指一個劇團的「招牌劇目」，隨時可以供人點戲，然後安排表演。但是在現代的意義上，「定目劇」卻多了一個製作層面的概念。它是指將具備普及性、永恆性、與高度被接受性的經典劇目，製作並進行定點的長期演出，或每隔一段時間，進行週期性的重製演出。然而在台灣，表演藝術團體屬於非營利組織，目前並未發展出類似百老匯「長期定點」的商業劇場規模，但仍會定期推出具有代表性「定目劇」，並進行巡迴展演。而這些「定目劇」不僅代表一個藝術團體的創作精神，也維持了劇團的生存與穩定發展。

　　每一定目劇作品初次發表演出皆定名為「首演版」，例如：1996年推出《京戲啟示錄》首演版。爾後因重製當時之時間、空間、與社會時事，針對部分劇情、劇場美學等稍作內容的調整，並增列該劇目的版本名稱做為分類。不同版本的故事，在情節與架構上並不會有大篇幅異動，版本主要是用來辨

別不同年份之演出記錄，例如：2000年推出《京戲啟示錄》經典版、2007年推出《京戲啟示錄》典藏版。

李國修定目劇作品如下：

《京戲啟示錄》、《女兒紅》、《莎姆雷特》、《半里長城》、《徵婚啟事》、《西出陽關》、《婚外信行為》、《三人行不行I》、《三人行不行III—OH！三岔口》、《我妹妹》、《救國株式會社》、《北極之光》、《六義幫》，共計13本。

關於《莎姆雷特》

《莎姆雷特》為屏風表演班經典劇本之一，於1992年推出首演版、1995年推出新版、2000年推出狂笑版、2006年推出狂潮版、2009年推出京滬版。因考量故事結構的嚴謹性與時宜性，故《莎姆雷特》選定狂潮版為出版劇本。

劇情簡介

　　由李修國領軍的業餘劇團「風屏劇團」，藉演出莎翁經典名著《哈姆雷特》，意欲重振該團名聲。捲土重來的最新劇作《哈姆雷特》，因某業餘編劇之筆誤，錯將「哈」字寫成「莎」字，一字之差，導致該團演出劇名為《莎姆雷特》，似乎也預告了風屏劇團在接下來演出中錯誤連連狀況百出。

　　《莎姆雷特》於台北的首演圓滿順利，觀眾報以熱烈掌聲，團長李修國因此淚灑舞台。不幸，在首演之後，劇團開始全台巡迴演出之時，即接踵發生了一連串「內幕」事件——團長李修國與妻子劉佑珊婚姻發生危機；演員狄杰志吃上詐欺官司；男主角邱峰逸因個人無法突破表演瓶頸而無法專心演出；演員曾城國／薛正志與黃千嘉／王小月的秘密戀情遭第三者介入而引爆爭端；以及演員郭乾子／朱剛德與曾城國／薛正志勾心鬥角、相互爭奪飾演莎姆雷特的機會……種種人事問題導致劇團掀起一連串的換角風波。

　　心力交瘁的李修國，深感莎士比亞原著在四百年多前已

經寫下現代人亦無法避免的人情世故。一切的人事糾紛、蜚語流言、欺瞞奪權，在在呈現人性中懦弱、妒忌、猜疑、陰謀與報復的可怕因子，竟也與正在演出中的《莎姆雷特》劇情不謀而合——台上的情節，只是台下真實人生的寫照！身懷復仇命運的莎姆雷特，如同鬼魅般驅使著風屏劇團的團員，一一走向復仇之路，整個劇團即將分崩離析——但在李修國的激勵下，全體演員誓言要讓這齣戲呈現一場圓滿的演出！

不料，高雄最終回的演出又發生了新的意外與錯誤，再度讓全體團員的夢想破滅。但，全體團員仍堅持——

We shall return.

場次結構表

時空設定／情境背景					李國修	郭子乾 朱德剛	王月 黃嘉千	曾國城 薛志正	樊光耀	鍾欣凌
風屏劇團演出場次			哈姆雷特摘演場次							
城市	場次	狀況	場次	場景						
台北	序場	謝幕	舞台上		霍拉旭					
	S1	首演日	S5-2	城堡中大廳	霍拉旭	奧斯里克	皇后	兵士甲	國王	貴婦乙
台中	S2	排演	S1-5	露台的一角	霍拉旭	鬼魂		兵士甲	樊耀光	
	S3		S2-1	波洛涅斯家	李修國	郭乾子 朱剛德		波洛涅斯	樊耀光	鍾凌欣
	S4		S4-5	城堡中一室	李修國	郭乾子 朱剛德	王小月 黃千嘉	曾城國 薛正志	樊耀光	鍾凌欣
	S5 A	公演日	S3-4	皇后寢宮		鬼魂	皇后	莎姆雷特		
	S5 B	排演	S4-5	城堡中一室	李修國	郭乾子 朱剛德	王小月 黃千嘉	曾城國 薛正志	樊耀光	鍾凌欣
	S6	公演日	S5-2	城堡中大廳	雷歐提斯	奧斯里克	皇后	莎姆雷特	國王	貴婦乙
中				場						
台南	S7	公演日	S3-2	城堡中一室	伶王	莎姆雷特	貴婦乙	霍拉旭	國王	皇后
	S8	排演	S5-1	墓地	李修國	郭乾子 朱剛德	王小月 黃千嘉	曾城國 薛正志	樊耀光	鍾凌欣
高雄	S9	風屏劇團	空舞台		李修國	郭乾子 朱剛德	王小月 黃千嘉	曾城國 薛正志	樊耀光	鍾凌欣
	S10	終演日	S5-2	城堡中大廳	哈姆雷特	奧斯里克	貴婦乙	兵士甲	國王	皇后
	尾聲	謝幕	舞台上						（全體演員）	

演員									
狄志杰	劉珊珊	杜詩梅	夏克立	邱逸峰	黃浩詠	黃致凱	李胤碩	林正宗	蘇育玄
角色									
									獻花女子
雷歐提斯	貴婦甲	貴婦丙	兵士乙	莎姆雷特	朝士	兵士丙	兵士丁	兵士戊	貴婦丁
			兵士乙	莎姆雷特		兵士丙	幽靈甲	幽靈乙	
雷歐提斯	奧菲利亞	化妝助理							
			兵士乙						
			波洛涅斯				幽靈甲	幽靈乙	
乾弟	劉又珊	化妝助理	兵士乙	邱峰逸		兵士丙	兵士丁	兵士戊	獻花女子
	貴婦甲	貴婦丙	兵士乙	霍拉旭	朝士	兵士丙	兵士丁	兵士戊	貴婦丁
休				息					
伶人甲	奧菲利亞	貴婦丙	兵士乙	伶叔	朝士	兵士丙	伶人乙	伶人丙	伶后
狄杰志		化妝助理	教士	邱峰逸	朝士	兵士丙	兵士丁	兵士戊	
狄杰志	劉又珊	杜梅詩	夏立克	邱峰逸	黃詠浩	黃凱致	李碩胤	林宗正	蘇玄育
雷歐提斯	貴婦甲	貴婦丙	兵士乙	霍拉旭	朝士	兵士丙	兵士丁	兵士戊	獻花女子

※為配合本劇於各地巡演檔期之故，部分角色由兩名演員分飾一角。
本書是以郭子乾、黃嘉千、曾國城的演出版本為出版版本。

47

序場

謝幕

情境：

風屏劇團演出《莎姆雷特》，台北首演場，謝幕。

場景：

城堡中大廳。（背景為富麗堂皇的城堡大廳軟景幕。舞台中央有一
階梯平台，平台上置國王與皇后座椅，座椅背後為灰石砌成的景片
牆，階梯左右各置火把架。舞台左右側上方懸吊水晶吊燈，舞台右
側有一兵器架。）

角色：

獻花女子、霍拉旭（李修國飾）。

大幕開啟前——

△　獻花女子手拿花束，獨自在大幕前徘徊，似乎在等待著誰。

△　大幕內不斷傳來演員排演中嬉鬧的聲音。

△　開演前的劇場廣播聲OS。

△　獻花女子開始顯得慌亂，步至舞台一角。

△　大幕漸啟。

△　白紗幕投影字幕——
「人世間的一切
在我看來是多麼的可厭　陳腐　乏味而無聊
——哈姆雷特（李修國[1]）」

△　燈光漸亮，霍拉旭走向舞台前緣，鞠躬謝幕，女子上前欲獻花卻發現要獻花的對象錯誤，又折返。霍拉旭狀極尷尬。

△　燈光漸暗。

1　本劇的投影字幕內容為《哈姆雷特》的語錄，同時這也可視為李修國心境的自我投射，或者說是他與《哈姆雷特》的自我對話。而「哈」上的叉叉符號表示當初改編者「李國修」的一字之差，誤把「哈」寫成「莎」。

S1

首演日 （台北）

情境：

風屏劇團於台北首演，本場摘演《哈姆雷特》，第五幕第二景。

場景：

城堡中大廳。

角色：

霍拉旭（李修國飾）、兵士甲（曾城國飾）、兵士乙、丙、丁、戊（夏立克、黃凱致、李碩胤、林宗正分飾）、朝士（黃詠浩飾）、奧斯里克（郭乾子飾）、貴婦甲、乙、丙、丁（劉佑珊、鍾凌欣、杜梅詩、蘇玄育分飾）、國王（樊耀光飾）、皇后（黃千嘉飾）、雷歐提斯（狄杰志飾）、莎姆雷特（邱峰逸飾）。

△　　白紗幕投影字幕——

「風屏劇團　演出《莎姆雷特》」

「（小鳥報・藝文版頭條[2]）

《莎姆雷特》昨晚在台北城市舞台首演

全體觀眾起立鼓掌　謝幕長達 30 分鐘

《莎姆雷特》（又名：《王子復仇記》）

扣人心弦　高潮迭起　高潮戲就在結局……」

△　　燈光漸亮。

△　　白紗幕漸升。

△　　莎姆雷特坐在國王椅上，霍拉旭站在舞台一角。

霍拉旭： 莎姆雷特殿下！要是您心裡不願做那樁事，那麼就別勉強吧！我可以去通知他們不用到這裡來，就說殿下您現在不能比武。

莎姆雷特：（面有愁容地）不！一點也不。我不信徵兆，一隻麻雀死也是天命，命中注定是現在，便不能在將來，如不在將來，必在現在。如不在現在，將來總要來。最好聽天由命吧！（走下台階）既然沒人死後能再知生前之事，及時而死又算得了什麼？由它去吧！

△　　軍號聲響起。

霍拉旭： 他們來了！

2　本張投影字幕的編排格式類似報紙版面上的編排方式。

△ 兵士甲、乙、丙、丁、戊、朝士、奧斯里克、貴婦甲、乙、丙、丁、雷歐提斯、國王、皇后，自舞台右側，上。

△ 莎姆雷特故作瘋癲地，一一向眾人致意。

△ 眾人依序向莎姆雷特鞠躬致意後——兵士、朝士精神抖擻、步伐一致地，分列於舞台左右兩側。奧斯里克、貴婦甲、丁走向舞台左側；貴婦乙、丙走向舞台右側；國王、皇后走至舞台中央；雷歐提斯面露愁容地走在皇后身後，霍拉旭站在莎姆雷特旁。

國王： 來，莎姆雷特！歡迎你來到這城堡中富麗堂皇的大殿。來，握這手。

△ 國王將雷歐提斯的手放在莎姆雷特的手上。

莎姆雷特： 原諒我，雷歐提斯。我得罪了你，凡是我的所作所為，足以傷害你的情感和名譽，激起你的憤怒來的，我現在聲明這一切都是我在瘋狂中犯下的過失。莎姆雷特絕不會做對不起雷歐提斯的事。我現在要向你請求寬恕，寬恕這件不是出於我的罪惡。

△ 莎姆雷特對雷歐提斯鞠躬示意，雷歐提斯不屑地將莎姆雷特的手甩開。

雷歐提斯： 對於這件事情，我的感情應該是激動我復仇的主要力量。現在我在感情上總算滿意了。不過，我的

名譽問題，我卻做不了主。除非有哪位為眾人所敬仰的長者為我講出和解的理由或例子，使我的名譽不受蒙羞，否則我不願講和。但是，未到那時節之前，我且把你的好意當作好意來接受吧！

莎姆雷特： 莎姆雷特絕對相信你的誠意，願意奉陪你，舉行這場爽爽快快的比武。給我們劍，來！

△　國王、皇后坐上王位。

雷歐提斯： 來，也給我一柄。（將手中的劍舉起）奧斯里克，替我保管好這柄劍！

△　奧斯里克上前取走雷歐提斯的劍。

國王： 去取劍來，霍拉旭。（霍拉旭站立不動，國王急呼）去取劍來，霍拉旭！

△　霍拉旭仍站在原地不動，兵士甲用長槍戳霍拉旭。

霍拉旭： （驚覺）哦！霍拉旭是我。

國王： 是的！你去取劍來。

霍拉旭： 是，陛下。

△　霍拉旭去兵器架前取兩柄劍。

莎姆雷特： （箭步衝向雷歐提斯，單腳跪在雷歐提斯面前）雷歐提斯，我的劍術荒疏已久，只能給你做陪襯。就像最黑暗的夜裡，一顆閃著光亮的明星一般，特別的燦爛。

雷歐提斯：（笑）你取笑我了？莎姆雷特殿下。

莎姆雷特：（起身）不，我可以舉手起誓，這不是取笑。

△　莎姆雷特故作瘋癲地學雞叫、在場上奔竄。

國王：把鈍劍分給他們，霍拉旭！（霍拉旭將劍分給莎姆雷特、雷歐提斯）莎姆雷特姪兒，你知道我們是怎樣打賭的嗎？

莎姆雷特：很知道，陛下。可是你把賭注下在我──

雷歐提斯：（突然大聲吼叫，眾人轉頭看他）啊……（尷尬地）這一柄太重了，換一柄給我！

國王：（示意霍拉旭為雷歐提斯換劍）霍拉旭！

霍拉旭：是。

△　霍拉旭去兵器架前換了另一柄劍給雷歐提斯。

莎姆雷特：（揮舞著手上的劍）這一柄我很滿意，這些鈍劍都是同樣長短的柄嗎？

奧斯里克：是的，柄都是一樣的柄，殿下。

國王：親愛的姪兒，我已為你準備好勝利的美酒。若是莎姆雷特擊中了第一劍或是第二劍，或是第三次交手時爭得上風，傳令城堡上全放起砲來。

朝士：是的，陛下。

國王：我要飲酒祝賀莎姆雷特的健康；在酒杯裡（貴婦乙將酒倒進貴婦甲的酒杯裡。國王自懷中取出一顆珍珠）我

還要放進一顆珍珠（眾人發出讚嘆聲），比丹麥王四代世襲王冠上的珍珠還要珍貴（笑）。來，給我酒杯！（貴婦甲遞酒杯）鼓聲一起，讓鼓聲告訴喇叭，喇叭告訴城堡上的砲，砲告訴天，天告訴地，震徹天地的炮聲將傳出國王祝賀莎姆雷特勝利的消息（莎姆雷特瘋癲地笑著）。（對莎姆雷特）現在，國王舉杯祝福莎姆雷特！（飲酒，後把杯交還給貴婦甲）來！倒酒（貴婦乙將酒倒進貴婦甲的酒杯裡）！來，開始吧！你們在場的裁判都要留心看著。

奧斯里克：

（同時）是，陛下。

朝士：

△ 軍號聲響起。

△ 起劍式——雷歐提斯與莎姆雷特步至舞台中央，二人左手相握，右手提起劍，畫圈，劍落至對方肩膀上。（全劇起劍式皆同）

莎姆雷特：　　　　雷歐提斯！

（同時）請了！

雷歐提斯：　　　　莎姆雷特殿下！

△ 雙劍交叉在二人中間；裁判員奧斯里克站在二人中間，舉劍放至兩劍交叉處下方。

奧斯里克：（對莎姆雷特）Ready?

莎姆雷特：Oui[3].

奧斯里克：（對雷歐提斯）Ready?

雷歐提斯：Oui.

奧斯里克：（大聲地）Ready?

莎姆雷特：

（同時）Oui.

雷歐提斯：

奧斯里克：（持劍，從二人之劍交叉處往上挑起，分開二人的鈍劍）

Allez[4]!

△ 二人開始比劍。交手片刻，莎姆雷特又瘋癲地在場上
奔竄。

莎姆雷特：（瘋癲地學雞叫）咕咕咕……

雷歐提斯：（緊張地）莎姆雷特陛下，你真的發瘋了嗎？

莎姆雷特：（瘋狂地大笑）哈哈哈……

△ 二人繼續比武。稍頃，莎姆雷特擊中雷歐提斯——瞬
間，燈光轉變成幽暗的氛圍，場上眾人轉為慢動作。

△ 稍頃，燈光恢復，眾人恢復動作。

莎姆雷特：（得意地笑著，示意眾人雷歐提斯已中劍）一劍。

雷歐提斯：（急忙否認）不，沒有擊中。

莎姆雷特：請裁判員公斷。

3　法文，中文意為「是的」。音近 [wi]。
4　法文，中文意為「上吧」。音近 [ale]。

△　奧斯里克上前查視雷歐提斯的胸前。

奧斯里克：（果斷地）一劍，很明顯的一劍。

　　朝士：（大聲地）傳令城堡上全放起砲來！

兵士丙：（複誦）傳令城堡上全放起砲來！

雷歐提斯：（不服氣地，向前邀戰）好，再來。

　△　砲聲響起。

　　國王：（制止）且慢，拿酒來（貴婦甲遞上酒杯）。（自懷中拿出珍珠）莎姆雷特，這顆珍珠是你的了，祝你健康。

　△　國王將珍珠放入酒杯中。

莎姆雷特：（婉拒國王）不，讓我先賽完這一回合，（示意雷歐提斯繼續比武）來。

　△　二人欲繼續比武。

　　皇后：（大聲制止）且慢！（對國王）他有些喘不過氣來。（走向前）來！莎姆雷特，把我的手帕拿去，擦擦臉上的汗水。

莎姆雷特：（接過手帕）好母親。

　△　皇后將國王手上的酒杯取走。

　　皇后：（對莎姆雷特）讓母親為你飲下這杯酒，祝你勝利，莎姆雷特。

　　國王：（起身，大聲制止）葛楚德，不能喝。

皇后：陛下，請原諒我，我要喝的。

△ 皇后欲飲。燈光轉換為幽藍的氛圍，眾人靜止不動，一束白光打在國王身上。

國王：（獨白，聲音顫抖地）天哪！太遲了——那杯酒裡有毒！

△ 燈光恢復，場上眾人恢復動作。

△ 皇后喝下毒酒。

皇后：來，莎姆雷特，讓我擦乾你的臉。

△ 莎姆雷特屈膝跪地，皇后為他擦汗。

雷歐提斯：（氣憤地）陛下，我現在一定要擊中他了。

國王：（低聲地，對雷歐提斯）我怕你擊不中他。

△ 眾人發笑。皇后將酒杯交給貴婦甲。

莎姆雷特：來，第二回合，給劍。

△ 國王、皇后回到座位。

△ 霍拉旭與奧斯里克（拿著雷歐提斯方才交給他保管的毒劍）各執一柄劍，分別交給莎姆雷特、雷歐提斯，此時，二人皆手持雙劍。

△ 燈光變化，眾人靜止不動，一束白光打在雷歐提斯身上。

雷歐提斯：（獨白，舉起毒劍）可是，我的良心卻不贊成我用這柄塗著毒藥的鈍劍幹下這件事。

△ 燈光恢復，眾人恢復動作。

莎姆雷特：（向前，嘲諷地）雷歐提斯，你怎麼一點也不起勁？請

你使出全身的本領來刺吧！

△　莎姆雷特瘋癲地學雞叫，對雷歐提斯挑釁。

雷歐提斯：（被激怒、向前揮劍）別再污辱我，來。

△　二人繼續比劍，稍頃，莎姆雷特的劍被擊落在地。莎

姆雷特以單劍對付雷歐提斯的雙劍，不敵，隨後莎姆

雷特被踢倒在地。

雷歐提斯：（發怒地）莎姆雷特殿下，來啊！

奧斯里克：（急忙向前察看二人）兩邊都沒有擊中。

雷歐提斯：（不甘示弱地）是嗎？受我這一劍。

△　雷歐提斯趁機偷襲莎姆雷特，刺中。瞬間，燈光變化

為幽暗氛圍，眾人轉為慢動作。

△　稍頃，燈光恢復、眾人恢復動作。

△　此時，皇后開始覺得暈眩。

雷歐提斯：（興奮地，對國王）我擊中他了，我擊中他了！（對莎姆

雷特）再來啊！

△　莎姆雷特起身衝向雷歐提斯，雷歐提斯手中一劍被擊

落，形成二人各持一劍打鬥，稍頃，莎姆雷特又擊落

雷歐提斯手中的劍，並將雷歐提斯踢倒在地。

△　莎姆雷特作勢誘引雷歐提斯拾起掉落在地上的劍（毒

劍），卻趁雷歐提斯欲上前取劍之時，搶先一步拾起

地上的劍（毒劍），並刺中雷歐提斯。

　　△　瞬間，燈光轉變為幽暗氛圍，全場演員轉為慢動作。

　　△　稍頃，燈光恢復，全場演員恢復正常動作。

　　△　二人愈加發狂地打鬥著；眾人驚慌地尖叫著。

國王：（起身，大聲制止）分開他們，分開他們，他們動起火來了。

莎姆雷特：（發狂地）來，有種再來吧！

皇后：（毒性發作，痛苦地尖叫）啊——

　　△　霍拉旭、奧斯里克向前分別拉開莎姆雷特、雷歐提斯。

莎姆雷特：（驚慌地）母后，母后怎麼了？

國王：（企圖掩飾，對眾人解釋）她看見你們流血，所以昏過去了。

皇后：（推開國王）不！（欲奔向莎姆雷特）莎姆雷特，（指貴婦甲盤中的酒杯）那杯酒，那杯酒……

　　△　皇后急促地喘氣，稍頃，不支倒地而死。

莎姆雷特：（激動地，奔向皇后旁）啊！陰謀！來人啊！把門鎖上！陰謀，查出來是哪一個人幹的？

霍拉旭：（對眾人）哪一個人幹的？

　　△　眾人驚慌、尖叫。

雷歐提斯：（指國王）兇手在這裡！莎姆雷特，那殺人的凶器就在你的手裡，（毒劍的毒藥發作，不支倒地，痛苦地）鋒利的劍上還塗著毒藥。國王……國王，都是他一

個人的罪惡。

　△　雷歐提斯倒下，死去。

　△　燈光轉換為幽暗氛圍，場上眾人靜止不動，一束白光
　　　打在莎姆雷特身上。

莎姆雷特：（獨白，舉起手上的劍）鋒利的劍上還塗著毒藥！好，
　　　　毒藥，發揮你的力量吧！

　△　燈光恢復，眾人恢復動作。莎姆雷特拿毒劍，追殺國
　　　王。

國王：（否認，欲逃走）不是我，不是我……

　△　尖叫聲四起。

　△　莎姆雷特一劍刺向國王。

國王：（痛苦地、求援）啊！你們幫幫我，幫幫我，我只是受
　　　了點傷。

　△　國王倒地而死。莎姆雷特把毒劍丟棄在地上。

莎姆雷特：（悲痛地）霍拉旭！

霍拉旭：殿下！

　△　莎姆雷特體力不支、無力地倒下。

莎姆雷特：（爬向皇后身旁）我死了。不幸的母后別了（親吻皇后的
　　　　手後，奮力起身，走向霍拉旭）！霍拉旭——

霍拉旭：（攙扶莎姆雷特）殿下！

莎姆雷特：（不支倒地）我死了——

雷歐提斯：（突然爬起）他死的應該，這毒藥是他親手——

　△　　奧斯里克一腳踢倒雷歐提斯。

莎姆雷特：（倒臥在雷歐提斯懷裡，奄奄一息地）你還活在這人世間，請你把我復仇的來龍去脈昭告世人，並解除他們的疑惑吧！

霍拉旭：（悲痛地）殿下！啊！一顆高貴的心現在破碎了，願天使唱著歌送你安息！（哽咽地）我最親愛、最愛的王子——（哀嚎地）莎姆雷特！

　△　　軍隊行進聲、鼓聲漸揚起。

　△　　眾人緩緩地走近莎姆雷特與霍拉旭，欲探視王子狀。

　△　　燈光漸暗。

　△　　白紗幕降。

S2

排演 ① （台中）

情境：

風屏劇團演出《莎姆雷特》巡迴至台中中山堂，台上團員於開演前進行彩排，段落為原《哈姆雷特》，第一幕第五景。

場景：

露台的一角。（舞台左側置有一城牆景片、並有階梯可上下；舞台後方為遠處城堡景觀的軟景幕。）

角色：

霍拉旭（李修國飾）、兵士甲（曾城國飾）、兵士乙、丙（夏立克、黃凱致分飾）、莎姆雷特（邱峰逸飾）、幽靈甲、乙（李碩胤、林宗正分飾）、國王的鬼魂（郭乾子飾）、樊耀光。

△　白紗幕投影字幕——

　　「這是一個　顛倒混亂的時代

　　唉　倒楣的我卻要負起　重整乾坤的責任

　　——哈姆雷特（李修國）」

　△　燈光漸亮，陰鬱的藍光灑滿舞台。

　△　風聲音效。

　△　霍拉旭與兵士甲、乙、丙、莎姆雷特，上。

霍拉旭： 風吹得人怪疼的，這天氣真冷。

莎姆雷特： 現在是什麼時候了？

霍拉旭： 我想，鬼魂出現的時候就要到了。

　△　白紗幕升。

　△　遠處傳來喇叭奏花腔及鳴砲聲。

霍拉旭： （望向遠處一角）殿下，你瞧！看樣子國王和那群大臣，今天晚上又要酗酒縱樂狂歡到天亮了。這種風俗習慣實在是太糟糕了！

　△　燈光轉換，數道綠色光束射入舞台。

霍拉旭： 瞧！殿下，鬼魂出現了。

　△　幽靈甲、乙，上，在舞台上四處游移飄動。

　△　樊耀光（著國王服）邊講手機，上。

耀光： （對手機）喂！台中！我在台中！（搜尋通訊較佳的角落，蹲在舞台前緣講電話）——喂！你聽得見嗎？

　△　鬼魂（頭部蓋著一塊白色面紗），上。

鬼魂：（大聲地）我的時間不多了，你聽我說——

耀光：（打斷彩排，對眾人）你們小聲一點！

乾子：（跳出角色，不悅地，對耀光）你才小聲一點！你是導演，我們在彩排，你竟然站在這裡打電話！

　△　彩排被迫中斷。

修國：（告誡）耀光！你現在不要打電話——

耀光：（無理地辯解著）台中中山堂只有這個位置收訊最好！

修國：（束手無策地）……大家繼續彩排……

　△　眾人恢復彩排，耀光仍蹲在一角講電話。

莎姆雷特：（奔向鬼魂）可憐的亡魂……

鬼魂：莎姆雷特，聽我說，一般人都以為我是在花園裡睡覺的時候被一條蛇咬死的，這是虛構的。好孩子，毒死你父親性命的那條毒蛇，（激動地）頭上還戴著王冠呢！那頭姦淫亂倫的畜生——

耀光：（對電話）就是我啊！

鬼魂：——他有的是過人的詭詐天賦的奸惡，憑著他陰險的手段誘惑了我似乎非常貞潔的皇后——

耀光：（對電話，驚訝地）他劈腿啊！？

鬼魂：——以滿足他無恥的獸慾。

耀光：（對電話）那他一定很爽囉！？

鬼魂：——啊！莎姆雷特！

莎姆雷特：啊！我的預感果然是真的。我的叔父？是不是？

　　△　耀光掛電話，轉頭看著台上的排演。

鬼魂：時間不多了，天快亮了，好孩子，我要走了……
　　　　走了……

　　△　鬼魂、幽靈甲、乙，欲下。

耀光：（對鬼魂）去哪裡？

鬼魂：（跳出角色，回應耀光）下去啊！

　　△　彩排再度中斷。

耀光：（激動地）你不能下去，你要吊鋼絲，上去！

乾子：（跳出角色，對耀光）上次在台北演出卡住了！

耀光：這裡是台中，今天修好了嘛！（鋼索自舞台天空降下）
　　　　你看！（幽靈甲、乙替鬼魂套上鋼索的掛勾。耀光示意場
　　　　外的技術人員）把他吊上去。

　　△　彩排繼續。

鬼魂：（對莎姆雷特）好孩子！我走了……我走了……

　　△　幽靈甲、乙，下。鋼索故障，鬼魂無法向上升，乾子
　　　　仍站在原地。

乾子：（不悅地，對耀光）見鬼了！你不是說修好了嗎？

耀光：（尷尬地）我是說我現在去把他修好。

　　△　耀光，下。

△　　修國示意飾演莎姆雷特的峰逸繼續彩排。

修國：（對峰逸）台詞，繼續。

　△　　彩排繼續進行。

莎姆雷特：我今後將會裝出一副瘋瘋癲癲、裝瘋賣傻的樣子。

你千萬別揭穿並發誓為我保守這個秘密。

　△　　彩排又中斷。

修國：（對側台方向大叫）耀光！拜託你把鬼魂拉上去！

　△　　耀光，急忙奔上。修國急忙前去側台察看，奔下。

耀光：鋼索真的卡住了！

峰逸：導演！我肚子痛——

　△　　峰逸急急地往外奔，下。

耀光：（對台下燈控室）暗燈、暗燈。直接跳排第二幕第一

景。

　△　　修國急急地，又奔上。

修國：（制止耀光）不能跳排！莎姆雷特還有一句台詞。（台

上不見莎姆雷特）莎姆雷特呢？

耀光：莎姆雷特鬧腸胃炎。

修國：（狐疑地）莎姆雷特不是被毒劍刺死的嗎？

耀光：我知道，我是說演莎姆雷特的演員，他一巡迴到台

中就水土不服，鬧腸胃炎。

修國：他還有一句獨白，我代替他唸完你再跳場。（代替峰逸，唸莎姆雷特的獨白）受難的靈魂，請你們永遠記住，無論在什麼時候都要守口如瓶，（單膝跪下）這是一個顛倒混亂的時代，倒楣的我，卻要負起重整乾坤的責任，唉！

耀光：（對修國）團長，我願意負起重整乾坤的責任。

修國：（不悅地）你先把鬼魂吊上去！

△　燈光漸暗。

△　白紗幕降。

S3

排演 ② （台中）

情境：

風屏劇團於台中排演，段落為原《哈姆雷特》，第二幕第一景。本場次為接續S2（原《哈姆雷特》第一幕第五景）的排演。

場景：

波洛涅斯家。（舞台右側三分之二為波洛涅斯家，背景為一幅遠處城堡景片，幕前是巨大的廊柱景片。舞台左側三分之一處吊著一片黑幕，黑幕前置有一階梯平台。）

角色：

波洛涅斯（曾城國飾）、奧菲利亞（劉佑珊飾）、雷歐提斯（狄杰志飾）、郭乾子（著鬼魂服）、樊耀光（著國王服）、鍾凌欣（著貴婦服）、李修國（著霍拉旭服）、化妝助理。

△　白紗幕投影字幕——
「他的神情是那樣的悽慘　好像他剛從地獄裡　逃出來
——哈姆雷特（李修國）。」

△　燈光亮。一角是城國扮演的波洛涅斯，正在講手機；
另一角，鬼魂仍站在原地。

△　稍頃，奧菲利亞，自外，上。

△　白紗幕升。

奧菲利亞：（慌張地）父親、父親——（被應下場而未下場的鬼魂嚇
到，尖叫）啊……

乾子：（對奧菲利亞，即興）卡住了！

城國：（對電話）你等一下！（扮演波洛涅斯，對奧菲利亞）啊！
奧菲利亞，什麼事？

奧菲利亞：父親，我嚇得要死！

波洛涅斯：憑著上帝的名份，妳嚇什麼？（跳出角色，對電話）你
說，（示意奧菲利亞繼續講台詞）妳也說！

奧菲利亞：父親，我正在房間裡縫紉的時候，莎姆雷特殿下跑
了進來——

城國：（對電話）不可能吧！

奧菲利亞：他走到我的面前，神情是那樣的悽慘——

城國：（對電話）你親眼看到的啊！

奧菲利亞：好像他剛從地獄裡逃出來，要向人敘述它的恐怖一
樣。

城國：（對電話）誰？

奧菲利亞：（對城國在場上講手機感到不滿，不悅地說著台詞）莎姆雷
特！

　△　扮演雷歐提斯的狄杰志，自一角，上。

　△　化妝助理，自另一角，上，替鬼魂解開鋼索扣環。

佑珊：（不耐地）城城，我們先把這場戲對完好不好？

杰志：（不安地，對佑珊）李太太[5]！我們第一幕第三景的台詞
再對一下？

乾子：（對杰志）現在已經排到第二幕第一景了。

城國：（對佑珊）妳跟杰志對一下台詞，我等一下就回來。

　△　城國邊講手機，下。佑珊無奈。杰志在一角，準備和
佑珊對台詞。

　△　佑珊與杰志開始排練奧菲利亞與雷歐提斯的對話段落。

奧菲利亞：你還不相信我嗎？我的好哥哥雷歐提斯！

雷歐提斯：對於莎姆雷特——（因私人情緒問題、思緒混亂，差一點
講不出台詞，他試圖穩定情緒，繼續對詞）和他的調情獻
媚，妳必須把他當作是年輕人一時的感情衝動，
如此而已。

奧菲利亞：不過如此而已嗎？

　△　杰志思緒混亂，一再講錯台詞。

5　劉佑珊與團長李修國在劇中為夫妻

雷歐提斯： 不過如此！因為一個人成長的過程不僅是肌肉和「性慾」的增強——

乾子： （質疑杰志講錯台詞）「性慾」！？

雷歐提斯： （反駁乾子）不是性慾——

乾子： 你講「性慾」！？

杰志： （對乾子）對不起。

乾子： （笑）不用跟我對不起，要對自己負責！——（示意杰志繼續對詞）你的台詞。

雷歐提斯： 因為一個人成長的過程，不僅是肌肉和「體格」的增強，而且隨著身體的發展，精神和「墳墓」也同時擴大——

乾子： （質疑杰志講錯台詞）「墳墓」！？

雷歐提斯： （惱火地）干墳墓什麼事？

乾子： （提示杰志）你講「墳墓」！？墳墓是我的台詞，鬼魂才從墳墓出來！

杰志： （惱怒地，對乾子道歉）對不起！

乾子： 不用對不起，要對自己負責。

佑珊： 杰志，你沒事吧？

　△　李修國，自一角，上。鍾凌欣（著貴婦服）自另一角，上。

　△　化妝助理逕自走至舞台一角落，看著場上的眾人。

修國：杰志，你要認真彩排！（鼓勵）你在台北的演出非常好！大家都看見了，全場觀眾起立鼓掌三十分鐘！

佑珊：（不耐地，潑冷水）修國，你還在作夢？！

修國：（對佑珊）老婆！我希望風屏劇團最棒，我希望觀眾起立鼓掌三十分鐘，可以嗎？！我一再強調──我希望！

杰志：（對修國，情緒激動、哽咽地）團長，對不起，我恐怕會讓你失望。

△　杰志急忙奔下。

佑珊：（欲追）杰志……

修國：（制止佑珊）老婆……

△　佑珊被修國阻擋去路，遂往舞台另一邊，奔下。

△　城國自一角，又上，繼續講電話。

乾子：（對修國）團長！我有一個小小的要求，我要求換房間，我今天晚上不要跟城城睡同一間！

城國：（掛上電話，對乾子，不屑地）誰要跟你住一間呀！？

修國：（欲排解，對城國）現在不要扯這些小鳥事──

乾子：團長！這不是小鳥事噢！我實在看不下去我才講的！我們住的飯店一間房間只能住兩個人，可是我們那個房間硬生生擠了四個人。哪四個人你知

道嗎？我、城城、耀光，還有一個女的，（看凌欣，指她）為了她的名譽我不講她是誰？她夾在兩個男人中間睡到天亮。

凌欣：（駁斥地）你不要亂講。

乾子：我有說妳是夾在中間那個女人嗎？

城國：團長！你不要聽他胡說，沒有這種事，那個女的半夜就走了，沒有到天亮！

乾子：（不悅地，繼續說）團長！我老人家睡覺一定要關燈，哪怕是窗簾被風吹一下，有一根繡花針掉在地上，我都會被吵醒，一整夜睡不著！（對城國）你們昨天晚上酗酒縱樂狂歡到天亮！又喝酒、划拳，又批評劇團每一個人！我聽見每一句話、每一個字，你們愈講愈囂張、愈講愈大聲！你們愈大聲、我打呼愈大聲——

凌欣：（打斷乾子，激動地）你不要含沙射影、指桑罵槐，有本事你把話講開呀！

△　城國欲制止凌欣。

乾子：（要脅地）妳說的喔！（對修國）團長！那個夾在兩柄鈍劍中間的那把女人，（指凌欣）就是她！

凌欣：（氣憤地，亦指著乾子說）我要你永遠記住你說的每一

個字，你要為你說的話，付出代價！

△　凌欣被氣哭。

凌欣：（欲對修國解釋）團長，我——

修國：（凌欣，罵）凌欣，妳真的很不檢點！

△　凌欣哭泣，奔向耀光，耀光抱著凌欣；修國驚訝地看
　　著二人。

耀光：（瞪乾子）你要為你說的話付出代價。

乾子：（不知所措地，對耀光）對不起……

耀光：你幹嘛跟我對不起，你要對你自己負責。

△　凌欣忿忿地，奔下。

修國：（無奈地）現在不要扯這些小鳥事——

城國：（忿忿地）這不是小鳥事，（指乾子）他偷聽我們講話就
　　是不道德的事！（咬牙切齒地）從頭到尾我有沒有批
　　評過你一個字？不要以為我不知道你以前是幹什
　　麼的？

△　耀光，追凌欣，下。

乾子：（欲息事寧人，對城國求情）以前是幹什麼就不用講了
　　嘛！

修國：（走向前，詢問）城城，（指乾子）他以前是幹什麼的？

城國：（對修國）不要講，難看！

修國：（追問）你講！

乾子：（緊張地，對修國）他說不要講了嘛！

修國：（追問）城城，你講，他以前是幹什麼的？

城國：團長！（看著乾子，嘲諷地）一個劇團應該請一個前科
累累的竊盜犯人來當演員嗎（笑）！？

乾子：（駁斥地，對城國）你有什麼證據？！

城國：（一愣，大聲地）我懷疑，我只是懷疑可以嗎？「竊勾
者誅，竊國者侯⁶」！

△　城國忿忿地，下。

△　耀光帶著杰志（背著一個大行李袋），自一角，上。

耀光：（情急地）團長！有狀況。

修國：什麼狀況？

耀光：狀況來了！杰志出了點小鳥事。

杰志：（垂頭喪氣地）我本來要不告而別，可是導演要我來
親口告訴你！

耀光：（意有所指地看著乾子，說）因為有些人只能共事不能深
交，有些人做事只為了交朋友。（對修國）在風屏

6　語出自莊子「胠篋」篇。原文為「彼竊鈎者誅，竊國者為諸侯，諸侯之
門，而仁義存焉。」意思是說：偷腰帶扣環的小賊，要處死；篡奪政權的
人反倒成為諸侯，竊國者因為權勢在握，人們不敢稱他是大盜，反而諂
媚的稱揚竊國者是仁義之人。這句話常被用來諷刺法律只是用來管制小
老百姓的，而掌權者卻可以不受約束，逍遙法外。此處，城國暗指乾子
有偷竊行為還理直氣壯，另外這句話也可隱喻《莎》劇中，國王竊國的行
為，同時也暗示著風屏劇團中演員彼此勾心鬥角，爭奪權力。

劇團裡，杰志他最信任的朋友是我——

修國：（打斷耀光，不耐地）講重點！

耀光：（對修國解釋）杰志在一家公司掛名副董事長，現在
整個公司財務拮据，宣告倒閉！董事長跑到海外
去了——

修國：什麼意思？

杰志：（懊悔地，對修國解釋）董事長是我大哥！我親大哥！
他要我當連帶保證人，他開公司我沒有去上過一
天班，公司賺錢的時候他也沒有分給我任何一毛
錢，現在倒閉了要我扛四千萬！

修國：（對杰志）講重點！

耀光：（小聲地對修國說）杰志被控詐欺！法院明天開庭，他
得要趕回台北，台中場他不能演了。

修國：（震驚地，將耀光拉到一旁）耀光，你是導演，這種事你
有沒有辦法解決？

　△　耀光拉著修國，蹲在舞台一角。乾子亦蹲在一旁，偷
　　　聽。

耀光：（小聲地，對修國）我有一個同學，他爸爸的情婦是司
法黃牛——

修國：（打斷耀光）不是這個問題！

耀光：（逕自說著）就是這個問題，不管舊政府、新政府都一樣，有錢能使「狗推磨」！

修國：（打斷耀光，小聲地）我的問題是，如果杰志趕回台北，明天《莎姆雷特》台中的演出能不能照常進行？

耀光：（小聲地）關於這個問題——

杰志：（打斷二人談話，情緒激動地）團長，對不起！（對乾子）郭大哥，對不起！導演，對不起！（拔出腰際的劍，悲憤地）其他不在場的團員，大家對不起！

△　杰志哭泣，激動之際順手將他手中的劍往道具平台插去，不料，劍竟然不偏不倚地直直地立在平台上，杰志自己也嚇了一跳，奔下。場上一片靜默。

修國：（緊張地）耀光！趕快把他追回來！他的服裝不能穿回台北！

耀光：（情急，欲追）對……（又折返）不對！（拉著修國，蹲在舞台一角）我剛剛是說「狗推磨」，我說錯了，應該是「鬼推磨」！（意有所指地，對蹲在一角的乾子，罵）「竊勾者誅，竊國者侯」！（嘲諷地）聽得懂嗎？（往外走）杰志……

△　耀光，下。

乾子：（拉著修國，至一角，蹲下）團長！我堅持要換房間！

修國：郭大哥！你今天跟我睡，解決了。

乾子：（驚訝地）我跟你睡？那你老婆怎麼辦？（笑）她不會
　　　　是夾在我們中間的那把女人吧！？

　△　乾子起身，欲下。

修國：（意有所指地）我們已經過去了……快要過去了……
　　　　不要談過去，只管明天！（感嘆地）每個人都沒有
　　　　過去……

乾子：（興奮地）對！團長你要記住你今天說過的話，你、
　　　　我都沒有過去。

　△　乾子，下。

修國：（起身、自語，感嘆地）如不在現在，將來總要來。最
　　　　好聽天由命吧！

化妝助理：（躲在舞台一角，緩緩地走向修國，唸劇中台詞）既然沒人
　　　　能死後再知生前之事，及時而死又算得了什麼
　　　　呢？由他去吧！

修國：（看著化妝助理，狐疑地）妳是？

化妝助理：娃娃！

修國：妳演……什麼角色？

化妝助理：（不好意思地，笑）我是化妝助理。

修國：妳喜歡莎姆雷特？

化妝助理：（突兀地，問修國）你會和你太太離婚嗎？

  △ 修國不語。

  △ 燈光漸暗。

  △ 白紗幕降。

S4

排演 ③ （台中）

情境：

風屏劇團於台中中山堂排演，段落為原《哈姆雷特》第四幕第五景。
但團員紛紛欲在台上解決私人的事情，導致排練數度中斷。

場景：

城堡中一室。（背景為遠處城堡景片，舞台右側有一階梯平台，舞台
一角置一禱告桌。）

角色：

黃千嘉（飾皇后）、曾城國（飾莎姆雷特）、李修國（飾雷歐提斯）、
樊耀光（飾國王）、鍾凌欣（兼排助，飾貴婦乙）、郭乾子（著鬼魂
服）、兵士乙（夏立克飾，拿長槍、著波洛涅斯服）。

△　白紗幕投影字幕——
　　「你使我的眼睛　看進自己靈魂深處」
△　投影字幕持續，燈光漸亮——幽暗的氛圍。
△　城國（手上提著燈籠）與黃千嘉正在舞台左側協議私
　　事。

城國： 好！我再說一次！那個獻花女子叫阿美，只是一個
　　　崇拜偶像的無聊女子！妳不要再鬧了！

千嘉：（不悅地）我鬧什麼？你一直在迴避我的問題！（哽
　　　咽、激動地）從來就沒有給我一個讓我滿意的解
　　　釋！

△　白紗幕投影字幕——
　　「你使我的眼睛　看進自己靈魂深處
　　看見我的靈魂裡　那洗拭不去的黑色污點」
　　——哈姆雷特（李修國）」
△　燈光漸亮。

千嘉：（哽咽地）你說那個無聊女子——

城國： 她有一段痛苦的往事——

千嘉：（質問地）需要抱十分鐘？

城國：（強辯地）我試著安慰她——

千嘉：（略激動地）然後親吻她！？

城國：（推託地）其實整件事要怪妳，那天晚上排完戲以後
　　　我說要送妳回家，（反指責千嘉）妳又不知道跟我鬧

什麼彆扭？我到處躲那個無聊女子，還是被她逮到了。她一看到我，就跑過來抱著我哭，妳說我能怎麼辦？！（苦勸）千嘉，妳不要這樣子嘛！

千嘉： 我不信？

城國：（激動地）我發誓，如果我騙妳，我天打雷劈！

△　打雷閃電聲光音效。

△　白紗幕升。

△　稍頃，修國、凌欣、耀光、乾子，自舞台右側，上。

修國：（催促地）第四幕第五景，大家進度快一點。

凌欣： 第四幕第五景，大家動作快一點。

修國： 城城，這場沒有你的戲。

城國： 我知道，我看一看。

△　城國安撫千嘉，並將燈籠交給千嘉。

修國：（對城國，疑惑地）等一下、等一下，你怎麼穿莎姆雷特的服裝？！（轉身詢問）耀光，他怎麼穿王子的衣服？！

耀光：（對修國解釋）團長，我解釋一下，峰逸有心結，他莎姆雷特演不下去，私底下跟我請辭。我建議，由城城演莎姆雷特。

城國：（胸有成竹地）王子的台詞我老早就背好了！

△　城國得意地笑著。

乾子：（指城國，大叫）陰謀！

城國：（不悅地，對乾子）你叫屁啊！

修國：（對乾子）我來處理、我來解決！你不要管！（轉身，不悅地）耀光，你有任何建議，你要先跟我溝通——

耀光：（打斷修國，解釋）再溝通就來不及了！

修國：我是團長！

耀光：（辯白）我也是為了顧全大局！要變天就全世界變天（雷聲大作）。像我，讓你演雷歐提斯，我就很放心，對不對！為什麼？因為你完全沒有問題！同樣的，我認識城城也不是一天兩天了——

凌欣：（對修國，幫耀光說話，笑）他們兩個的交情不是一天兩天的了！

耀光：團長！相信我！（指城國）他演得真的很棒！城城，我們對一次戲給團長看！

城國：好！團長，我們來一段好了。（對乾子，輕蔑地）這場戲沒有鬼，你讓開好不好！

△　凌欣搬動禱告桌至舞台前緣。

△　耀光扮演國王，城國扮演莎姆雷特。乾子走至舞台一角，觀看。

耀光：（對城國）來！準備喔！（飾演國王，跪在禱告桌前，禱告狀）喔！上帝啊！莎姆雷特利用戲班子親手導演

《貢札古之死[7]》是巧合？或是有心？那齣戲竟戳穿了我毒死他父親的陰謀？（雷聲大作）如果這是你來自天國的召喚，請寬恕並拯救我罪惡的靈魂！

城國：（飾演莎姆雷特，手持一把短刀，走到國王背後）讓我一劍，戳進他的靈魂深處！不……他正在虔誠的懺悔，殺了他反而拯救了他，讓他的靈魂升了天（雷聲大作）——（激昂地）To be or not to be——生存或是毀滅，That is the question——這是個值得深思的問題——

△　凌欣鼓掌、大聲叫好。

耀光：（讚揚地）演得太好了，太好了！我正式以導演的身份，宣告明天台中演出，莎姆雷特就由曾城國飾演！

△　曾城國將燈籠交給國王，並將禱告桌推下場。

千嘉：（焦躁地）團長……

△　兵士乙，上，站在平台上；團長修國迫於無奈，只好同意耀光的提議，隨即開始指揮調度，示意眾人開始彩排。

修國：（對眾人）好，現在繼續彩排，從雷歐提斯進來開

7　原《哈姆雷特》劇中，哈姆雷特為試探叔父克勞迪斯，便請戲班子將叔父下毒篡位的故事改編成戲劇，在宴會上當眾演出。

始！凌欣！（凌欣手拿劇本，走至修國旁）從哪一句——（飾演雷歐提斯，看劇本，唸詞）國王在哪裡？啊！你這萬惡的奸王，還我的父親來！

△ 眾人繼續彩排。千嘉飾演皇后；耀光飾演國王（手拿燈籠）；凌欣飾演貴婦乙，同時兼排演助理，手拿劇本幫修國提詞。修國扮演雷歐提斯，站在台階上。

皇后： 好雷歐提斯，安靜一點。

國王： 告訴我，雷歐提斯，你有什麼氣惱不平的事？

雷歐提斯： 我的父親呢？

皇后： 他……死了。

凌欣： （提示修國）蛤[8]？

修國： （誤會凌欣，以為她唸錯台詞）妳「蛤」什麼？

凌欣： （解釋）我「蛤」什麼？（拿劇本給修國看）你這裡有一個虛字「蛤」！

修國： （回應凌欣，表示理解）噢！

凌欣： （糾正修國，再示範一次）「蛤」！

雷歐提斯： （跟著唸）「蛤」！

凌欣： （對修國）對！

皇后： （指國王）但並不是他殺的。

雷歐提斯： （驚嘆地）啊！

8　驚訝的語助詞。

凌欣：（提示修國講錯虛字，略不耐地拿劇本給他看）看劇本！

雷歐提斯：（看劇本，又唸錯）咳！

凌欣：（糾正修國，提示台詞）噢！

雷歐提斯：（跟著唸）噢！

　△　凌欣受不了修國亂唸台詞，遂放棄提詞，逕自坐在階梯上。

皇后：好雷歐提斯，要是你想知道你的父親究竟是怎樣死去的話，難道你復仇的方式是把朋友和敵人都弄不清楚嗎！？

　△　修國執意要求凌欣給他看劇本，凌欣不理會修國。彩排中斷。

修國：耀光！我真的弄不清楚，城城演莎姆雷特，誰演他原來飾演的波洛涅斯！？

耀光：這你不用擔心——

乾子：（打斷耀光，自薦）團長！鬼魂從頭到尾只有四場戲，我可以演波洛涅斯。

耀光：（不悅地）郭老先生，你再講一個字，我就把你的戲全部刪掉。

凌欣：（火上加油地）團長，我認識耀光不是一天兩天了，他說到做到！

千嘉：（插話）團長，我真的有一件事要跟你商量一下！

　　　　我沒有辦法跟城城演對手戲。

修國：（思緒混亂、焦躁地）我來處理、我來處理——

　△　千嘉，下。

耀光：（插話）團長！下午兩點十五分彩排到第一幕第五景
　　　的時候，我就跟你說過——「我願意負起重整乾
　　　坤的責任」，我是個有肩膀、有擔當的人！波洛
　　　涅斯，我請（指兵士乙）夏立克飾演！

　△　夏立克開心地，走至修國旁。

修國：（質疑地）他只是這齣戲的擊劍教練。

耀光：（勸說）他還演一個兵士乙，我覺得真是大才小用。

修國：（疑惑地）問題是，他是加拿大人！

凌欣：（在一旁答腔）他國語是在台大學的。

耀光：（極力說服修國）夏立克將是風屏劇團力捧的新人！他
　　　潛力無窮。

凌欣：（幫立克說話）團長！我說實話，夏立克是樊耀光妹
　　　妹的男朋友，他很想在演藝圈發展！

乾子：（不悅地，指耀光）陰謀！

耀光：（氣憤地，對乾子）你現在立刻在這個舞台上消失！

　△　乾子忿忿地，奔下。稍後，又上。

耀光： 不道德！

（同時，一個鼻孔出氣，咒罵乾子）

凌欣： 討厭！

修國：（焦躁不安地）夏立克，波洛涅斯的台詞很拗口（夏立克聽不懂「拗口」）……我的問題很單純……你……OK嗎！？

立克：（自信地，滔滔不絕地說）My Father's father's father... or my great grandfather is from England, he and his forefathers always did preach never to turn away another's generosity and once more, to promise that once a promise is made every effort must be made to keep that promise.（翻譯：我的祖先是英格蘭人，他常常告誡我——除非拒絕一個人的好意，否則，一旦答應幫忙赴湯蹈火，萬死不辭。）

△ 修國聽不懂英文，一臉狐疑地看著夏立克。

修國：（心虛又故作禮貌地握著立克的手）Thank you!

△ 立克欣喜至極，凌欣、耀光在一旁亦跟著開心。

凌欣：（高聲呼喊）風屏劇團！

耀光：

凌欣：（三人同時）加油、加油、加油！

立克：

　　△　　立克開心地跟修國、乾子握手、道謝。

乾子：（對立克，閩南語）恭喜！

修國：（對乾子）講英文！

乾子：（欲說恭喜，卻說錯英文單字）——Conversation!

　　△　　立克滿臉狐疑。

修國：（糾正乾子）Congratulations!

立克：（興奮地上前擁抱修國）Oh! Ya! Thank you!

　　△　　燈光漸暗。

　　△　　白紗幕降。

S5 A

公演日 ①

情境A：

風屏劇團於台中中山堂的公演日。本場摘演原《哈姆雷特》第三幕第
四景。

場景A：

皇后寢宮。（舞台後方是遠處城堡景片。舞台右側懸掛著一塊紫色帷
幕，上面掛著先王與國王兩兄弟的肖像。舞台中央為華麗大床，舞
台中央前緣置有皇后的梳妝台。）

角色：

皇后（黃千嘉飾）、波洛涅斯（夏立克飾）、莎姆雷特（曾城國飾）、
鬼魂（郭乾子飾）、幽靈甲、乙（李碩胤、林宗正分飾）。

△　白紗幕投影字幕——

「風屏劇團　演出《莎姆雷特》」

廣播：（OS）各位來賓晚安！歡迎您今晚蒞臨台中中山堂，觀賞風屏劇團《莎姆雷特》的演出。《莎姆雷特》今晚的演員陣容略有調整，敬請原諒。今晚調整角色如下：莎姆雷特王子，曾城國飾演；雷歐提斯，李修國飾演；波洛涅斯，夏立克飾演；其他的角色如果……沒有意外，應該……不會更動。歡迎觀賞。

△　燈光亮，皇后在梳妝鏡前梳妝。波洛涅斯，上。

波洛涅斯：待會兒，千萬記得告訴他，今晚不該安排那齣戲中戲來刺激國王。

莎姆雷特：（聲音自場外傳來）母親！

皇后：（起身，望外）波洛涅斯，趕快躲起來，我聽到他的聲音了。

波洛涅斯：是。

△　波洛涅斯躲至梳妝鏡後方。

皇后：（對波洛涅斯）不是躲那兒！（指布幔）躲布簾後面。

△　波洛涅斯躲至布幔後。皇后坐回梳妝鏡前。

莎姆雷特：（聲音自場外傳來）母親！

△　莎姆雷特，上，瘋癲地學雞叫。

莎姆雷特：什麼事，母親？

皇后：（生氣地）莎姆雷特，看你的樣子，（起身走至舞台一角）你好像忘記我是誰了？

莎姆雷特：（大聲、命令地）不准走！（強拉皇后坐回化妝鏡前）我要妳坐在化妝鏡前，直到妳看見妳靈魂深處前，不准走。

　　△　莎姆雷特拔出腰際的劍，向著皇后。

皇后：（驚駭起身）你想做什麼？（莎姆雷特發狂似的笑著）你要謀害我嗎？（大聲呼喊）救命！救命！

波洛涅斯：（聲音自布幔後傳出）救命！救命！

莎姆雷特：（震驚地）怎麼啦？（走至布幔前）有奸細？你找死！

　　△　莎姆雷特一劍刺向布幔後，刺中了波洛涅斯。
　　△　波洛涅斯一陣慘叫，自布幔後滾出。
　　△　莎姆雷特驚慌地把箭丟在地上。

波洛涅斯：（捧著肚子哀叫）Oh……Oh……你……痛！

　　△　波洛涅斯死在床鋪旁。

皇后：（對莎姆雷特，罵）啊！多麼魯莽的行為！

莎姆雷特：很殘酷，好母親，幾乎和殺害國王，嫁給他弟弟一樣。

皇后：和殺害國王一樣？（佯裝不懂）我聽不懂！

莎姆雷特：（忿忿地，強拉皇后至布幔前，指著布幔上的肖像）看看這

兩兄弟的肖像，看看這張相貌多莊嚴？（指其中一幅肖像）他是妳從前的丈夫，（大聲質問）而妳現在跟隨的是什麼？（指另一幅肖像）他是你現在的丈夫，像根腐爛發霉的稻穗，傷害了他的哥哥。（激動地）妳沒有眼睛嗎？母親，妳不能稱之為愛情，因為以妳的年紀熱情早已冷卻——

△　鬼魂出現的音效聲。

△　幽靈甲、乙，上。鬼魂之替身布偶由天而降至床頭板後。稍頃，鬼魂，上，自床頭板後方現身。

△　莎姆雷特見鬼魂，驚嚇狀；皇后看不見鬼魂。

莎姆雷特：（對鬼魂）陛下！有何指教？

△　皇后癱坐在化妝鏡前。

鬼魂：（走向莎姆雷特）別忘了，我現在的出現是為了激勵你逐漸懦弱的決心。（指皇后）但是看看，你母親坐在那裡與她的靈魂交戰，最脆弱的人最容易受幻覺的刺激。

皇后：（對莎姆雷特，驚恐貌）你怎麼啦？你的眼睛裡有著狂亂的神情，像熟睡的兵士聽到警鈴。你整齊的頭髮一根根彷彿有了生命似的豎了起來！你到底在對誰說話？

莎姆雷特：（回皇后，指鬼魂）他！妳難道什麼都也沒聽到嗎？

皇后：（驚恐地）除了我們說話，我什麼也沒聽見。（奔向莎姆雷特）這一定是你的幻覺，一個人在心神恍惚中，最容易發生妄想的錯覺。

　△　莎姆雷特看著鬼魂、幽靈甲、乙，在場上四處飄動。稍頃，鬼魂的頭鑽進皇后的化妝鏡框裡，不慎卡住、動彈不得。

莎姆雷特：瞧！他悄悄地走了，我的父親，穿著他生前所穿的衣服。瞧！就在這一刻，（走向舞台一角）他從窗口消失了。

　△　鬼魂的頭卡在梳妝鏡框裡，鬼魂的替身布偶上升至一半也卡住了，無法離開舞台。幽靈甲、乙，下。

　△　場上一片靜默，不知如何繼續演下去。

鬼魂：（奮力地欲掙脫出化妝鏡框，即興）卡住了。

　△　鬼魂無法將頭拔出，遂搬起整個化妝台，緩緩地往側台方向走。稍頃，鬼魂將化妝鏡框自化妝台拆下，帶著鏡框，下。化妝台仍留在場上一角。

皇后：（坐在椅子上，佯裝化妝鏡台仍在原位，雙手懸空作狀倚在鏡台上）我該怎麼辦？

　△　鬼魂（鏡框已自頭上卸下），上，欲把化妝台搬回原位。

莎姆雷特：別再護著那豬玀般的國王，引誘妳洩露出這一切，妳不能告訴他──（示意鬼魂離開舞台，即興）已經從

97

窗口消失了！（回台詞，對皇后，單膝跪）妳不能告訴他，我其實不瘋，只是偽裝。

△　鬼魂放棄搬動化妝台，下。

皇后：你放心吧！如果一個人說的話是由呼吸所構成，而呼吸又構成生命，只要我一息猶存，就絕不會讓我的呼吸洩露了你對我說的話。

△　皇后走向莎姆雷特，莎姆雷特欲親吻皇后的手。

莎姆雷特：（拉著皇后的手）母親！

△　飾演皇后的千嘉因私人因素，欲掙脫開城國的手，不讓他親吻。二人拉扯、僵持著。

△　飾演皇后的千嘉公報私仇地打了飾演莎姆雷特的城國一巴掌。莎姆雷特倒臥在地。

莎姆雷特：（忍痛起身）晚安，母親！

△　莎姆雷特轉身欲下，撞到剛才鬼魂放置在場上一側的化妝台。

莎姆雷特：（哀叫聲）哇靠！

△　燈光漸暗。

△　白紗幕降。

S5 B

公演日 ④

情境 B：

時空回到 S4 ——排演，段落為原《哈姆雷特》第四幕第五景，修國排練雷歐提斯被中斷的排演現場。

場景 B：

城堡中一室。

角色：

李修國（飾雷歐提斯）、獻花女子、化妝助理、劉佑珊（飾奧菲莉亞）、郭乾子（著鬼魂服）、曾城國（著莎姆雷特服）、黃千嘉（著皇后服）、樊耀光（著國王服）、鍾凌欣（著貴婦乙服）、兵士乙、丙、丁、戊（夏立克、黃凱致、李碩胤、林宗正分飾）、邱峰逸（霍拉旭服）、乾弟。

△　燈光漸亮，幽暗的轉場氛圍。場景Ａ轉場景Ｂ──舞台上，兵士乙、丙、丁、撤換道具。

△　舞台一角是凌欣（貴婦服）與千嘉（皇后服）。

凌欣： 其實，我覺得皇后這個角色，我蠻同情她的處境。我覺得莎士比亞是個大男人主義，他把女人看得毫無理性，只憑情愛、性慾來斷定女人這一輩子只有這些。如果是我演這個皇后，就會把她詮釋得在嬌柔中帶點霸氣──（逕自說著皇后的台詞，激動地演繹著）「你怎麼啦？你的眼睛裡有著狂亂的神情，像熟睡的兵士聽到警鈴──」

千嘉：（打斷凌欣，憂傷地）明天將會是我和城城最後一次同台演出。

凌欣：（震驚地）妳不是認真的吧？（不安地）皇后的台詞我還沒有背完耶！

千嘉：（哽咽地）我沒有辦法再和城城演對手戲──

△　燈光漸暗。

△　白紗幕投影字幕──
「這是你的幻覺　一個人在心神恍惚中
最容易發生妄想的錯覺
──哈姆雷特（李修國）」

△　燈亮──場景Ｂ（城堡中一室。舞台後方為遠處城堡剪影的軟景幕；舞台右側有一階梯平台。）

△ 場上已有雷歐提斯、國王、皇后、莎姆雷特、貴婦乙、鬼魂，在場上排戲。

△ 白紗幕升。

△ 雷聲大作。

兵士乙：

兵士丙：

　　　　（聲音自場外傳來）放她進去！放她進去！

兵士丁：

兵士戊：

△ 兵士乙、丙、丁、戊，上，佇立在階梯平台的四周。

凌欣：（看著劇本，唸）是奧菲利亞我的好妹妹嗎？（提示修國）雷歐提斯，你妹妹來了。

△ 奧菲利亞（手拿迷迭香、三色堇），上，站上台階，瘋癲地笑著。凌欣指示雷歐提斯應走至奧菲利亞前方。

奧菲利亞：（瘋癲地）他們把他抬上靈柩，在他墳上淚如雨下，再會，我的鴿子！

雷歐提斯：天日在上，我一定要叫那害你瘋狂的仇人重重地抵償他的罪惡。

奧菲利亞：（走下台階，將手上的花草交給雷歐提斯）這是表示回憶的迷迭香；（瘋癲地笑）愛人，請你記著吧，這是表示思念的三色堇。

△ 奧菲利亞瘋癲地大笑著。獻花女子手拿一束鮮花，自

一角，上，恰與奧菲利亞相對望。

雷歐提斯：（看著奧菲利亞）她在瘋狂中把思念和回憶混雜在一
起了。

△　排練過程中，李修國思緒混亂，陷入自己的回憶中，
他亦把思念和回憶混雜在一起了。

△　燈光變化——場上演員靜止不動，修國、佑珊、獻花
女子除外。

△　耀光，上。

耀光：（手機接收不良，不斷地變換位置，對手機）喂……喂！我
們莎姆雷特在台中還有一場演出……

修國：（走向獻花女子）妳找誰？

獻花女子：請問曾城國在不在？

修國：誰？

獻花女子：我找城城。

△　以下，是李修國的回憶片段；場上其他人以慢動作移
動（修國、佑珊除外），燈光隨之緩慢地變換著。

佑珊：（對修國，埋怨地）你只在乎你自己，從來不在乎我的
感覺。

△　邱峰逸，自舞台右側一角，上，以極慢的動作行進。

修國：（大聲、激動地）妳現在什麼都不要談，《莎姆雷特》
明天在台北城市舞台就要首演了——

佑珊：（激動地勸說）劇團已經撐不下去了，你為什麼就不願意面對現實？

修國：（更加激動地）妳要支持我！我的痛苦誰能承擔？排戲這麼不順利，這時候妳還要落井下石，賣房子把我徹底毀滅嗎！？

佑珊： 是你的懦弱、優柔寡斷、猶豫不決的個性毀滅了你自己！

△　閃電、雷聲大作。

△　燈光轉換。一角，乾弟（廣東腔國語，全劇同），上。

△　乾弟安撫佑珊狀，修國見狀，大感不悅，欲下。

乾弟：（叫住修國）李先生！

△　場上眾人靜止不動，修國、佑珊、乾弟除外。

乾弟：（拿出一個印章）李先生，你的印章好像拿錯了，地政事務所說這個不是你原來的印鑑章！？

修國：（強作鎮定地）我老婆沒有拿給你嗎！？

乾弟： 我在你們臥房翻了二十幾個抽屜——

修國：（打斷，不悅地）你是去找印章還是去抄家？！（尖酸、嘲諷地）你們倆個乾脆住在一起算了！

△　場上眾人以慢動作行進，修國、佑珊、乾弟除外。

佑珊：（駁斥地，對修國）我跟我乾弟弟毫無瓜葛，（暴怒地）你怎麼可以這樣傷害我！？不要那麼神經質好

不好？演一齣《莎姆雷特》不順利，你把我、把他、把你，全部想像成劇中人！？（哽咽地）我要的只是安定，為什麼你不乾脆解散風屏劇團！？

△　場上眾人靜止不動，修國、佑珊、乾弟除外。修國拖著沉重的步伐，欲下。

乾弟：（叫住修國）李先生，那個東西？

修國：	**乾弟：**（廣東話）
你去後台——	
	我知。
化妝室——	
	我知。
化妝台上有一個書包，（指佑珊）她知道我的書包。	我知……（欲下，又折返）我不知。
	她知。
你打開拉鍊第二個夾層裡面有一個印章，	
	我不知。

　　　　應該是我的印鑑

　　　　章！　　　　　　　　　　　　　　　　　（指佑珊）她知。

乾弟：（廣東話）我知。（廣東腔國語）李先生，你千萬不要誤

　　　　會我們的關係，（指佑珊）她是乾姊姊，我是乾弟

　　　　弟，她要是嫁給我的話，她不就變乾弟夫人了

　　　　嗎！

　　△　乾弟，下。

　　△　場上眾人以慢動作行進，修國、佑珊除外。一角，化

　　　　妝助理以正常速度（帶著卸妝油、修國的書包），上。

修國：（沉痛地，對佑珊）妳至少跟我保證，妳會演完《莎姆

　　　　雷特》全省巡迴。

　　△　佑珊低頭哭泣。

化妝助理：誰要卸妝油？

佑珊：（哽咽、諷刺地）看你什麼時候把你臉上那些亂七八糟

　　　　的妝卸掉，找回你自己。

乾子：（對化妝助理）我要卸妝油。

　　△　乾子拿走卸妝油，下。

　　△　場上演員靜止不動，化妝助理、修國除外。

化妝助理：（將書包交給修國）團長！你的書包。

修國：妳是……？

化妝助理：娃娃。

修國：（狐疑地）妳演什麼角色！？

△　　佑珊，下。

化妝助理：我是化妝助理。（背誦台詞）「這是你的幻覺，一個人在心神恍惚中，最容易發生妄想的錯覺。」——（對修國）我必須要向你道歉，我在你的書包看到一本筆記，你寫的每句話都充滿了寓言，有些句子我看了好感動——（背誦筆記本內的文句）「誰願承受重擔，在艱辛的生活中，呻吟流淚。」

修國：（背誦）「若非畏懼死後之事」？

化妝助理：（崇拜地）都是你寫的詞啊？

修國：莎士比亞！四百年前他就把現代人會發生的故事全都寫完了，而且他的台詞寫得很動人。

△　　沉默片刻。獻花女子，在場上走動。

修國：（叫住獻花女子）妳……找誰啊？

獻花女子：我找城城，（將花束交給修國）麻煩你把花交給他。告訴他，明天台中的公演，我不能來看他了。

△　　眾人恢復動作——千嘉與城國爭執狀。稍頃，千嘉，不悅地，下。兵士乙、丙、丁、戊，下。城國，下。

△　　獻花女子、化妝助理慢動作，下。

△　　李修國回憶片段結束，恢復意識。

耀光：（仍繼續講手機）喂……

修國：（晃神地）耀光，我們可以繼續排戲嗎！？

耀光：（疑惑地）還要排啊？

凌欣：（對修國）排完啦！團長！你在幹嘛！？你人完全不在現場！

修國：（驚覺手上拿著花束）咦！我手上的這束花是誰給我的？

凌欣：不知道！（對眾人，大聲問）誰送的花？

修國：（走至耀光旁）耀光！從今天開始，我不會跟我老婆講任何一句話！《莎姆雷特》如果演出成功，就是我復仇最主要的力量。你們一定要支持我，並且替我保守這個秘密！

耀光：（關切地）團長，你跟你老婆到底有什麼狀況？

修國：不……能再有狀況了。

耀光：對！你想開一點，劇團就像這個社會任何一個行業，有人就有事！可是你看我這個人，就是深謀遠慮！你完全不要怕劇團裡面任何突發狀況。我全都設計好了──（拿出已寫好的文件）這張是狀況一：演員生病不能參加演出的角色調整表；這張是狀況二：演員更換角色調整的場次表；這張是狀況三：演員罷演或因故缺席的場次表；這張是狀況四：演員勾心鬥角──

修國：（打斷耀光，突然暴怒地指著耀光的鼻子）你有陰謀——

耀光：（一愣）——怎麼了？

修國：（恢復理智）不是。我相信你！

耀光：（關切地）團長，你沒問題吧！？

修國： 我問題大了，我演雷歐提斯，誰演我原來演的霍拉
旭？

耀光：（指峰逸）邱峰逸！霍拉旭台詞少，他演一定沒問題。

修國：（焦慮地）峰逸，你沒有問題吧！

峰逸： 團長，你放心，（強忍肚痛、面有難色地）我一定會演
好霍拉旭！

耀光：（對修國強調說明）他肚子已經好很多了——

　△　峰逸又忍不住腹痛，急忙奔下。

耀光： ……峰逸！你明天就專心演你的霍拉「稀」！

修國：（不安、焦躁地）雷歐提斯的戲那麼多，台詞那麼多，
我沒辦法一夜之間把台詞全背下來？

耀光： 不要害怕，（翻閱手上的文件）你這是狀況六，明天在
舞台上會有人幫你提詞。（呼喚）鍾凌欣……

凌欣：（興奮地）我在這裡！（對修國解釋）團長！莎士比亞那
個年代的舞台劇都會安排提詞人，你每一場戲，
旁邊都有人幫你提詞，那個人就是我。

修國：（焦躁不安地，舉起手上的花束，軟弱無力地呼喊）——風
屏劇團！！

凌欣：（情緒激昂地）我會幫你提詞！

修國：（焦躁不安地）加油！加油！加油！（欲下）

耀光：（叫住修國，提醒）燈籠！團長！（示意凌欣，將燈籠交給
修國）妳燈籠給他。（對修國）你記得，你演雷歐提
斯，一上台就要提燈籠。

修國：（複頌）我一上台就要提燈籠！？

凌欣：（補充說明）嗯！那個年代提燈籠就代表夜景。（再次
提醒修國）所以，你一上台就要提燈籠。

　△　修國，下；凌欣，跟在其後不斷的提醒修國，下。

耀光：（獨自一人站在舞台中央，高聲呼喊）風屏劇團！明天台
中公演，進入狀況二、加狀況六！

　△　燈光漸暗。

　△　白紗幕降。

S6

公演日 ② （台中）

情境：

風屏劇團於台中中山堂的的公演日，本場摘演原《哈姆雷特》第五幕第二景。

場景：

城堡中大廳。

角色：

霍拉旭（邱峰逸飾）、莎姆雷特（曾城國飾）、雷歐提斯（李修國飾）、國王（樊耀光飾）、皇后（黃千嘉飾）、奧斯里克（郭乾子飾）、朝士（黃詠浩飾）、貴婦甲、乙、丙、丁（劉佑珊、鍾凌欣、杜梅詩、蘇玄育分飾）、兵士乙、丙、丁、戊（夏立克、黃凱致、李碩胤、林宗正分飾）。

△　白紗幕投影字幕——

　　「風屏劇團　演出《莎姆雷特》」

　　「（小鳥報）《莎姆雷特》征服台中

　　　觀眾癡狂　有口皆碑」

　　「最後結局　稍有瑕疵」

△　燈光漸亮。

△　白紗幕升。

△　場上已有坐在國王椅上的莎姆雷特與站在一角的霍拉旭。

霍拉旭： 莎姆雷特殿下……（忘詞）我說莎姆雷特殿下……

莎姆雷特：（即興）你說啊！

霍拉旭：（停頓片刻，忘詞，即興）我想你明白我要說些什麼……

莎姆雷特：（會意飾演霍拉旭的峰逸忘詞）是的。不，我一點也不相信徵兆，一隻（說錯台詞）「小鳥」死——

霍拉旭：（提詞）麻雀！

莎姆雷特：（堅持地）小鳥！

霍拉旭：（再次提示）麻雀！

莎姆雷特：（不悅的口氣）小鳥！

霍拉旭：（堅持地）麻雀！

莎姆雷特：（改口）小麻雀！——一隻小麻雀死也是天命。命中注定是現在，便不在將來，如不在將來，必在現

112

在；如不在現在，將來總要來。既然沒人死後能再知生前之事，及時而死又算得了什麼呢？由它去吧！

△ 軍號聲響起。

△ 兵士乙、丙、丁、戊、朝士、奧斯里克、貴婦甲、乙、丙、丁、雷歐提斯、國王、皇后，上。莎姆雷特起身迎接眾人，裝瘋癲地學雞叫、狂笑。

△ 兵士、朝士分列於左右兩側。奧斯里克、貴婦甲、丁走向舞台左側；貴婦乙、丙走向舞台右側；國王、皇后走至舞台中央；雷歐提斯走在皇后身後，霍拉旭站在莎姆雷特旁。

△ 飾演雷歐提斯的李修國記錯場次，提著燈籠亮相，隨即意識到自己犯錯，意欲趁眾人不注意之時溜下台將燈籠替換成鈍劍。

國王：莎姆雷特姪兒，歡迎你來到這城堡中富麗堂皇的大殿。來──（見雷歐提斯欲走下台，即興）去哪裡？── 來，握這手。

△ 國王將雷歐提斯的手放在莎姆雷特的手上。雷歐提斯手上仍拿著燈籠。

莎姆雷特：原諒我，雷歐提斯！我得罪了你。凡是我的所作所為，足以傷害你的情感和名譽，激起你憤怒來的，我現在聲明這一切都是我在瘋狂中犯下的過失──

△　莎姆雷特的台詞還沒說完，雷歐提斯卻急忙搶詞。

雷歐提斯：（搶詞）對於這件事情——

△　雷歐提斯趁機將燈籠交給了莎姆雷特。莎姆雷特手上
　　多了一個燈籠，狀極尷尬。

霍拉旭：（即興，提示）我想，莎姆雷特王子這句話還沒有說
　　完。

△　霍拉旭向前提示莎姆雷特台詞未說完。

莎姆雷特：（驚覺）啊！對！我想——（忘詞，尷尬地，即興）雷歐
　　提斯知道我要說什麼！

國王：（即興）是的！（對莎姆雷特）我想，大家都知道你要說
　　什麼！（詢問）雷歐提斯，你有甚麼話要說？

雷歐提斯：（驚慌地）是的，有。對於這件事情——（忘詞）我的
　　感情……應該是一種感覺，（即興）你知道，莎姆
　　雷特殿下，感覺……是很難形容的，（因忘詞而開
　　始胡言亂語）感覺是只能感受而不能察覺的！

△　貴婦乙湊近雷歐提斯，欲對他提詞。

雷歐提斯：（被貴婦乙嚇到）啊！（即興）對！我現在把我要說的話
　　說出來——（貴婦乙在他耳邊提示台詞）對於這件事
　　情，我的感情，不是感覺，我的感情應該是激動
　　我復仇的主要力量——（聽貴婦乙提詞）至於……我
　　的名位……地位……地獄？……（驚嚇地看著貴婦

乙）我不能解決我的「信譽」……（慌亂地亂說一通）
她不能解決他的「信譽」……（慌亂之下，只好指著貴
婦乙，即興）還是叫這個女人幫我說話吧！

貴婦乙：（錯愕地）是……我想，（即興）在這裡，你們每一個
人都知道我跟雷歐提斯的交情不是一天兩天的了
（眾人笑）。（即興）他心裡要說的話我都清楚，俗話
說得好「在家靠父母，出外靠朋友」──

國王：（對貴婦乙，即興）感謝您這位朋友來到貴寶地，妳不
必再提你們過去的交情，只要把他心裡的話說出
來就行了。

△　國王牽著貴婦乙的手，親吻其手背示好。

貴婦乙：（心花怒放地）是，我想他要說的話是──（照著手中小
抄劇本的頁次唸）「我的名譽問題，我做不了主，除
非有哪位為眾人所敬仰的長者，為我講出和解的
理由或例子，使我的名譽不受蒙羞，否則我不願
講和。但是──」（翻閱小抄劇本，卻不小心將劇本翻落
到地上數張，驚恐地）但是──

△　眾人見狀，驚慌、不知所措、尷尬地大笑著。

雷歐提斯：（傻笑，即興）哈……還是讓我本人來說吧（隨意撿起
一張小抄唸，但是頁次不對）莎姆雷特殿下──

雷歐提斯：

（同時，看著小抄唸）那鋒利的劍上還塗著毒藥呢！？

貴婦乙：

△ 雷歐提斯、貴婦乙，驚覺唸錯台詞，驚慌不已。

國王：（即興，提示雷歐提斯小抄頁次不對）雷歐提斯，比武尚未開始，你不要言之過早！（詢問眾人）你們剛才有誰聽見他們說了什麼嗎？

眾人：（齊聲）沒有。

貴婦乙：（即興）有──（撿起地上其他數頁劇本）有了！（看著小抄，唸）「但是，未到那時節之前，我且先把你的好意當作好意來接受吧！」（對雷歐提斯，鬆了一口氣似的）你要說的話說完了。

△ 貴婦乙蹲下，收拾地上的小抄。

雷歐提斯：（即興）對。這正是我心裡要說的話──

△ 貴婦乙自責地哭泣了起來。

國王：（對貴婦乙）妳哭什麼？

貴婦乙：（啜泣地）沒有！

雷歐提斯：（即興）莎姆雷特殿下，你全聽懂了吧！

莎姆雷特：雷歐提斯，我全聽懂了，我莎姆雷特絕對相信你的誠意，願意奉陪你，舉行這爽爽快快的比武，給我們劍──

雷歐提斯：也給我一柄。

國王：（自莎姆雷特手上拿走燈籠，對雷歐提斯，即興）我想，這
　　　　東西的主人應該是你吧！？

雷歐提斯：（慌亂地前去拿燈籠）是的，陛下。奧斯里克，替我保
　　　　管好這一柄──（看著手上的燈籠，即興）會發亮的
　　　　劍。

奧斯里克：（拿燈籠）是！

國王：去取劍來，霍拉旭。

　△　李修國誤以為自己仍飾演霍拉旭。

雷歐提斯：

　　　　（二人同時）是，陛下。

霍拉旭：

　△　霍拉旭與雷歐提斯，二人同時去取劍。

國王：（提示雷歐提斯）雷歐提斯，（即興）這種卑微的事情還
　　　　是讓霍拉旭去做吧！

　△　李修國這才意識到自己不是飾演霍拉旭。

雷歐提斯：（會意）對，（指霍拉旭）他是霍拉旭。

　△　原本應由雷歐提斯帶上場的毒劍因其慌亂而未帶上
　　　　場，霍拉旭早先發現，便將兵器架上置放的毒劍取
　　　　下。此時，霍拉旭手上共拿著三把劍，先將劍分別遞
　　　　給雷歐提斯與莎姆雷特，毒劍則留在手邊。

莎姆雷特：（單膝跪地）雷歐提斯，我的劍術荒疏已久，只能給

你做陪襯，正像最黑暗的夜裡，一顆閃著光亮的明星一般，特別的燦爛。

雷歐提斯： 你取笑（說錯台詞）「你」了，莎姆雷特殿下。

貴婦乙：（向雷歐提斯提詞）「我」！

雷歐提斯：（更正）「我」！你取笑「我」了，莎姆雷特殿下。

莎姆雷特：（起身）不，我可以舉手起誓，這不是取笑。

國王： 莎姆雷特姪兒，你知道我們是怎樣打賭的嗎？

莎姆雷特： 很知道，陛下——

　△　莎姆雷特台詞並未說完，雷歐提斯又急忙搶詞。

雷歐提斯：（揮舞著劍，搶詞）這一柄太重了，換一柄給我。

　△　霍拉旭不得已，只好將塗著毒藥的劍提早換給了雷歐提斯，但依原劇情順序，雷歐提斯在第一次換劍時並未取得預藏的毒劍。

莎姆雷特：（揮舞著劍）這一柄我很滿意——

　△　停頓，莎姆雷特忘詞。

　△　國王只得立刻即興地縮減台詞，讓戲繼續進行。

國王： 親愛的姪兒，我已為你準備好勝利的美酒。若是莎姆雷特佔得上風，傳令城堡上全放起炮來——

奧斯里克：（搶詞，執意要說出剛才被忽略的台詞）是的，柄都是一樣的柄，殿下。

國王：（對奧斯里克，即興）你有什麼委屈嗎？！

奧斯里克：（即興）莎姆雷特王子剛才忘記問：這些鈍劍都是同樣長短的柄嗎？

莎姆雷特：（這才意識到自己剛才的詞還未說完）是的！（唸詞）這一柄我很滿意。這些鈍劍都是同樣長短的柄嗎？

△　奧斯里克不語，走回原先站立的位子。

國王：（不悅地，對奧斯里克，即興）他在問你呢！？

奧斯里克：（不悅地，即興，對國王大吼）我上一句已經回答過了。

國王：（只好接詞，讓戲繼續進行）給我酒杯……給我酒杯……（貴婦甲沒反應。怒罵）看戲呀！倒酒！

△　貴婦乙拿酒壺，欲倒酒在貴婦甲盤上的酒杯，遂發現貴婦甲忘了將酒杯帶上場。國王只好拿起酒壺。

△　貴婦甲、乙嚇壞了，慌張不已。李修國示意國王，以酒壺飲酒。

國王：（慌亂卻故作鎮定地，拿著酒壺）鼓聲一起，讓鼓聲告訴（講錯台詞）「莎姆喇叭砲」！？噗！（強裝鎮定，對莎姆雷特）現在，國王舉……（尷尬地）這個「大杯」……大大地敬你一杯！（喝下酒壺內的酒）開始吧！你們在場的裁判都要留心看著。

△　國王將酒壺交還給貴婦乙，回座。

奧斯里克：

（同時）是，陛下。

朝士：

119

△　軍號聲響起。

△　起劍式。莎姆雷特、雷歐提斯走至舞台中央，左手相握，舉劍畫圓，落在對方的肩膀上。

莎姆雷特：　　　　　　　**雷歐提斯！**

（同時）**請了！**

雷歐提斯：　　　　　　**莎姆雷特殿下！**

△　接著，二人將劍交叉在二人之中。

奧斯里克：（以燈籠代替劍，從上而下分開二人的劍）Allez!

△　莎姆雷特不悅地看著奧斯里克，因為奧斯里克原應是從下往上分開二人的劍。奧斯里克恣意地走向舞台一角。二人開始比武。

△　比武中，雷歐提斯不慎把莎姆雷特的劍打掉在地上。（原劇本應是莎姆雷特先行擊中雷歐提斯。）

雷歐提斯：（驚嚇地，即興）**對不起！**

莎姆雷特：（即興）**沒關係！**

國王：（即興）**冷靜！**

△　莎姆雷特與雷歐提斯同時上前拾劍，此時，雷歐提斯意外地以毒劍刺中了莎姆雷特。

△　眾人驚慌、尖叫。

莎姆雷特：（中劍）**啊！**

雷歐提斯：（即興，慌亂地）**陛下！我彷彿已經刺中了莎姆雷特殿下！**

朝士：（仍依劇中原台詞，發佈號令）**傳令城堡上全放起砲來。**

兵士丙：（複誦）**傳令城堡上全放起砲來！**

國王：（急忙制止，即興）**不要……不要放砲……**

兵士丙：（複誦）**不要……不要放砲……**

國王：（對奧斯里克，以手勢暗示他：莎姆雷特未中劍）**你是裁判員，你看這樣算是刺中了嗎？**

　△　莎姆雷特馬上直挺站立，彷彿從未中劍、毫髮無傷。

奧斯里克：（向前察看莎姆雷特。不理會國王的暗示，對城國公報私仇地，大聲宣布）**一劍，很明顯的一劍。**

　△　炮聲響起。

國王：（即興）**那麼……**（尷尬地，拾起地上的劍，交給莎姆雷特）**你們應該還要繼續比武吧！**

奧斯里克：（即興）**陛下，**（提示國王，指雷歐提斯手上的劍）**那一柄劍上還塗著毒藥呢？！**

國王：（看著雷歐提斯的劍，即興，只好將錯就錯）**對！有毒藥！**

　△　莎姆雷特也只好將錯就錯、當場倒地。

莎姆雷特：（作中劍、痛苦狀，即興，極不甘心地）**啟稟陛下，我是莎姆雷特，不能這樣不明不白、這麼快就死掉了吧！？**

奧斯里克：（即興，嘲諷地，對莎姆雷特）**及時而死又算的了什麼，由他去吧！**

皇后：（起身，高聲疾呼）這樣吧！（即興）請容我這個做皇后的說句公道話。

國王：（即興）葛楚德，妳說，快！

　△　皇后走下台階，莎姆雷特起身、上前迎接皇后，皇后不予理會。

皇后：（即興，對眾人）整件事情的來龍去脈，諸位心裡都有數。每個人幹了什麼事，自己最清楚，大家就自行做個了斷吧！給我酒！

　△　皇后示意貴婦乙遞酒壺，並企圖濃縮全部的情節。

皇后：（即興）我承認，我跟國王犯了通姦罪。莎姆雷特，來，讓我為你把這杯酒飲下，祝你勝利！

國王：（急忙制止）葛楚德，不能喝。

皇后：陛下，請原諒我，我要喝的。

　△　國王急忙自懷中拿出珍珠亮相。

國王：（高呼，即興）這一顆珍珠⋯⋯我應該把它放在酒杯裡，它才會有——

　△　眾人即興地發出含糊的聲音，表示贊同。

奧斯里克：（即興、幸災樂禍地，閩南語）出錯了吧！

皇后：（即興，對國王）是的，你應該放的。

國王：（笑）我應該放的——

　△　國王欲將珍珠放至酒壺中，卻打不開酒壺的蓋子，慌亂之下，珍珠掉到地上。

皇后：（即興，對莎姆雷特）來，祝你勝利！（拿酒壺喝酒狀，隨後立刻佯裝中毒、痛苦狀）莎姆雷特……那杯酒……那杯酒……啊……

△　皇后倒地而死，眾人哀嚎。

莎姆雷特：（氣憤地）啊！陰謀，奸惡的陰謀。把門鎖上！陰謀！查出來是哪一個人幹的？

△　眾人驚慌失措、尖叫。

雷歐提斯：（修國又誤以為自己飾演霍拉旭，不小心脫口而出）哪一個人幹的！

奧斯里克：（即興）啟稟陛下！剛才皇后已經承認跟國王犯下通姦罪，（指國王）很明顯的是國王的陰謀。

國王：（即興）對！他說的很對！是我的陰謀！（立刻痛苦地倒地、呻吟，回戲詞）幫幫我！我只是受了點傷！

△　國王倒地。

奧斯里克：（對耀光公報私仇地，即興）陛下！請問是誰殺了你！？

△　國王示意雷歐提斯舉劍刺向自己。

國王：（即興，指雷歐提斯）是他！

△　雷歐提斯將毒劍刺向國王，國王立刻倒地而死。

雷歐提斯：是的，莎姆雷特殿下，那殺人的凶器還在你的手裡（發現毒劍仍在自己手上，迅速將劍交給莎姆雷特）那鋒利的劍上還塗著毒藥呢！瞧——（即興）你且稍待，

我還有話要說——（忘詞）我……我想，還是請（指貴婦乙）這個女人幫我說話吧！？

貴婦乙：（慌張地）是的！（看小抄劇本）我想你要說的話是——（又掉落小抄，即興）找不到台詞了……（對莎姆雷特）原諒我，殿下！

△　貴婦乙將莎姆雷特手中的劍奪去，自殺身亡、倒地而死。

奧斯里克：（看著貴婦乙，即興）她提詞有誤，已經畏罪自殺了。

雷歐提斯：（即興）既然這個女人也死了，那我就沒有話說了。（先企圖搶莎姆雷特手中的劍，搶不到，轉向拾起皇后身旁的毒酒，飲下狀）哎喲！

△　雷歐提斯倒地而死。

△　眾人不知所措。一片靜默。

△　莎姆雷特隨即佯作身中毒劍，痛苦狀。

莎姆雷特：（中毒狀）霍拉旭，我死了，（倒臥在皇后旁）不幸的母后，別了，（皇后起身，公報私仇地打了莎姆雷特一巴掌，又躺下。莎姆雷特強拉霍拉旭的雙手環抱著自己）霍拉旭，你還活在這個人世間，請你把我復仇的來龍去脈昭告世人，並解除他們的疑惑吧！

霍拉旭：（抱著莎姆雷特，忘詞，即興）對！

△　此時，飾演霍拉旭的邱峰逸又突然肚痛不堪，奔下。

△　　奧斯里克取代霍拉旭的地位與台詞——走向莎姆雷特
　　　　旁，攙扶著他。

奧斯里克：（哀嚎地）莎姆雷特！

　　△　　軍隊行進聲，鼓聲漸大。

　　△　　燈光暗。

　　△　　白紗幕降。

　　△　　投影字幕——

　　　　「To Be or Not To Be

　　　　That Is The Question」

　　　　「所以」

　　　　「中場休息十五分鐘」

　　△　　大幕落。

——中場休息——

S7

公演日 ③（台南）

情境：

風屏劇團巡迴至台南市立文化中心演出，本場摘演原《哈姆雷特》第三幕第二景。

場景：

城堡中一室。（背景為富麗堂皇的內室軟景幕，舞台右側為一階梯平台，舞台左側置有四張座椅。）

角色：

獻花女子、莎姆雷特（郭乾子飾）、霍拉旭（曾城國飾）、國王（樊耀光飾）、皇后（鍾凌欣飾）、奧菲利亞（劉佑珊飾）、兵士乙、丙（夏立克、黃凱致分飾）、貴婦乙（黃千嘉飾）、貴婦丙（杜梅詩飾）、朝士（黃詠浩飾）、伶王（李修國飾）、伶后（蘇玄育飾）、伶叔（邱峰逸飾）、伶人甲、乙、丙（狄杰志、李碩胤、林宗正分飾）。

△　幕啟前——

△　燈光漸亮。

△　獻花女子在大幕前徘徊。稍頃——獻花女子，下。

△　燈光暗。

△　大幕啟。

△　白紗幕投影字幕——

「大人　請您善待這班戲子伶人　不可怠慢

他們是這時代的縮影

——哈姆雷特（李修國）」

「風屏劇團　演出《莎姆雷特》」

廣播：（OS）各位來賓晚安！歡迎您光臨台南市立文化中心，觀賞風屏劇團《莎姆雷特》的演出。演出之前，請容許我們鄭重宣告，今晚的演員陣容略有調整——莎姆雷特王子，郭乾子飾演；皇后，鍾凌欣飾演；霍拉旭，曾城國飾演。（遲疑地）其他角色如有調整需要，（心虛地）風屏劇團不再另行宣告！歡迎觀賞！

△　燈亮，場上伶王、伶后、伶叔、伶人甲、乙、丙正在階梯平台上，排演狀。

△　白紗幕，升。

△　莎姆雷特放聲大笑（因郭乾子終於如願以償地飾演莎姆雷特王子，因而開懷大笑地走上舞台），與霍拉旭，上。

莎姆雷特：（指著霍拉旭）霍拉旭！

霍拉旭：殿下。

莎姆雷特：（即興）你這一無是處的人——

霍拉旭：（打斷，提示）霍拉旭認為，以下的話應該先跟（指伶人們）他們說會比較好！

莎姆雷特：也好！（對伶人們）聽著，我的朋友，我要你們將我寫下的幾段台詞穿插進今天要演出的《貢札古之死》的戲碼中。

伶王：殿下，這恐怕需要一點時間。

莎姆雷特：還有，注意你們唸台詞時，切莫扯著喉嚨喊叫，也勿過於平淡，適中即可。因為，自有戲劇以來……（忘詞）自有戲劇以來……狀況六！

伶王：我想，（幫莎姆雷特說出台詞）殿下是要告訴我，戲劇的目的始終是反映自然，顯示善惡的本來面目。

莎姆雷特：講得太好了！這樣你們明白了嗎？

伶王：

　　　　　（同時）明白了。

伶后：

莎姆雷特：明白了就下去準備吧！

伶王：

（同時）是，殿下。

伶后：

△　眾伶人，下。

莎姆雷特：（直指著霍拉旭）霍拉旭！

霍拉旭：是。

莎姆雷特：（即興）你這一無是處的人，（坐在椅子上，公報私仇地）過來幫我搥背。

霍拉旭：（不情願且語帶恐嚇地，即興）殿下，確定要現在搥嗎？

△　奧菲利亞，上，手拿禮盒。莎姆雷特立刻從椅子上起身，走至奧菲利亞旁。

奧菲利亞：殿下！（遞上禮盒給莎姆雷特）我有幾件您送給我的紀念品，請您現在收回吧。

莎姆雷特：不……不……（忘詞，對霍拉旭）狀況六！

霍拉旭：（會意，即興）喔！

△　飾演霍拉旭的城國幸災樂禍地笑著，不願為飾演莎姆雷特的乾子提示台詞。莎姆雷特只好即興演出。

莎姆雷特：（對奧菲利亞，即興）不！我一點也不。我不相信徵兆，一隻小麻雀死也是天命，命中注定是在現在，便不能在將來，如不在將來必在現在，如不在現在將來總要來——

霍拉旭：（打斷莎姆雷特，即興）請容許我提醒殿下，你這些話說得太早了——

莎姆雷特：（即興，駁斥地，對霍拉旭）你不要忘記了，我現在演的是個瘋子——（瘋癲地模仿雞叫聲）To be or not to be——That is the question!（自腰際間拔出一把短劍，欲朝霍拉旭的後腦刺下）讓我一劍戳進他的靈魂深處！

霍拉旭：（及時逃開，即興）我要提醒殿下，千萬不要亂——搞！

莎姆雷特：（對霍拉旭，即興）讓我一劍戳進他的靈魂深處！

△　霍拉旭急忙逃開，莎姆雷特追殺著霍拉旭。

△　此時，軍號聲響起。

△　國王、皇后、貴婦乙、丙、朝士、兵士乙、丙，眾人慌亂地，上。貴婦丙帶著自己的頭飾和兵士乙的頭盔，急忙奔上，卻誤把自己的頭飾拋給兵士乙——形成兵士乙戴上貴婦丙的頭飾，貴婦丙則戴上兵士乙的頭盔。眾人驚慌地看著貴婦丙和兵士乙。

△　國王指揮示意號角聲暫停。

國王：（氣憤地，即興）莎姆雷特！現在你高興了吧？你還好吧？

莎姆雷特：我很好！（即興，對國王）你這個毒死我父親的叔父，快跪下來禱告懺悔吧！

國王：（即興，提示莎姆雷特）親愛的侄兒，我想我應該看完《貢札古之死》後，再來禱告懺悔吧！

莎姆雷特：（即興，欲拿短劍刺向霍拉旭）讓我一劍戳進他的靈魂深處！

國王：（急忙回原台詞，對後台）你們戲班子上來演戲吧！（催促地）快點！

　△　熱鬧的音樂揚起。

　△　戲班子伶人們，上。

伶王：（對國王）大人啊！請您善待這班戲子伶人，不可怠慢，因為他們是這時代的縮影。

　△　燈光變化。國王、皇后坐在椅子上，其餘眾人列於一側，觀看演出。

　△　戲班子站上階梯平台，以舞蹈、戲劇的方式呈現《哈姆雷特》劇原文之啞劇段落——《貢札古之死》——伶叔毒死伶王，篡王位，娶伶后的段落。

　△　國王受到刺激、驚愕不已。

　△　以下，場上眾人語言速度正常，但以慢動作進行。

莎姆雷特：國王受到驚嚇了嗎？

皇后：（驚慌地）陛下怎麼啦？

國王：（震驚地）給我點起火把來！點起火把！

皇后：（疾呼）不要再演下去了——

國王：（疾呼）不要再演下去了——

兵士們：點起火把！火把！火把！

　　△　　國王氣憤地起身，並將椅子推到，眾人恢復正常速
　　　　度，驚慌地奔下。場上僅留下莎姆雷特、霍拉旭。

莎姆雷特：（跑上平台）啊！霍拉旭！那鬼魂真的沒有欺騙我。
　　　　你看見嗎？

霍拉旭：（激動地）看見了。殿下，我看見國王蒼白的臉、蒼
　　　　白的唇，他每根頭髮都站立了起來——

莎姆雷特：（即興，拔出短劍）啊！讓我一劍戳進他的靈魂深處！

　　△　　莎姆雷特狂奔向霍拉旭。

霍拉旭：（不悅地，即興，大聲制止）霍拉旭請求殿下，不要再
　　　　（閩南語）「發瘋」了！

莎姆雷特：（不悅地，即興，閩南語）誰在「發瘋」！？（燈光漸暗）
　　　　哎！燈怎麼暗掉了？還沒演完耶！

　　△　　燈光暗。

　　△　　白紗幕降。

S8

排演 ⑤ （台南）

情境：

風屏劇團於台南市立文化中心排演，因昨天台南場郭乾子的莎姆雷特演出效果不佳，今日台南場演出前角色更動如下所述。本場摘演《哈姆雷特》劇，第五幕第一景。

場景：

森林中之墓地。（舞台背景為由森林紗幕將空間切為前後，紗幕前的舞台左側有一矮樹叢。）

角色：

李修國（飾莎姆雷特）、曾城國（飾霍拉旭）、奧菲利亞（假人偶）、樊耀光（飾國王）、鍾凌欣（飾皇后）、狄杰志（飾雷歐提斯）、教士（夏立克飾）、邱峰逸（飾兵士甲）、朝士（黃詠浩飾）、兵士丙、丁、戊（黃凱致、李碩胤、林宗正分飾）、郭乾子（著鬼魂服）、黃千嘉、化妝助理。

服裝提示：

穿著戲服者為雷歐提斯、教士、兵士甲、國王的鬼魂。其餘角色均
穿著便服。

△　燈光暗。

△　白紗幕投影字幕——

　　「誰願承受重擔　在艱辛的生活中　呻吟流淚」

△　投影字幕停留在白紗幕上。

△　燈光漸亮。

△　莎姆雷特與霍拉旭，上，至白紗幕前。

莎姆雷特：（手高舉著骷髏頭）唉！可憐的弄臣郁立克！霍拉旭，我認識他，他是一個最會說笑話、非常富有想像力的傢伙（笑）。（對骷髏頭）郁立克，現在你還會編造一些笑話，逗得全場捧腹大笑嗎（笑）？你沒有留下最後一個笑話在你死後譏笑你自己嗎（笑）？霍拉旭！誰知道我們變成骷髏之後，後世人會怎樣譏笑我們？

△　燈光變化。

△　教堂鐘聲響起。

△　白紗幕後，兵士甲、丙、丁、戊抬著擔架，架上躺著奧菲利亞（假人偶），自森林紗幕後，舞台的左側，上。後續跟來的是雷歐提斯、國王、皇后、教士、朝士，上。

△　一行人行經舞台後，下。稍頃，一行人再從森林紗幕前，上。

霍拉旭：是國王和朝廷那群臣子朝這兒來了？殿下！他們是

139

為誰下葬呢？

△　白紗幕後，燈光暗。

△　霍拉旭、莎姆雷特，躲至矮樹叢後方。

△　白紗幕投影字幕——
　「若非畏懼　死後之事
　——哈姆雷特（李修國）」

△　白紗幕升。

△　燈光亮。兵士甲、丙、丁、戊手抬擔架，蹲跪在舞台前緣。眾人圍繞在擔架旁。

雷歐提斯：（悲戚地）還有些什麼儀式？

教士：（唱）這位高貴的青年雷歐提斯，（皇后將花瓣灑在奧菲利亞身上）你妹妹奧菲利亞的葬禮已經超過了她所應得的名分。可是現在我們已經允許賜給她「處女的葬禮」，用花圈蓋在她的身上。這還不夠嗎？

眾人：（齊聲，唱）阿門！

雷歐提斯：（哀傷地）把她放下泥土裡去，（兵士放下擔架。跪坐在擔架前，悲痛地）願她嬌美無暇的肉體上，生出芬芳馥郁的——（突然悲從中來，壓抑不住私人情緒，哭泣地）四千萬——

△　排演被迫中斷。

△　城國、修國，自樹叢後，出。

城國：（困惑地）什麼四千萬？

△　兵士甲開始作挖土蓋墳狀。

耀光： 峰逸，不要挖了！夏立克，帶他們去練唱！

△　飾演雷歐提斯的狄杰志跪地不起、持續地哭泣。

修國：（宣佈）排戲暫停。

△　李修國示意眾人退下。眾人七嘴八舌地，下，場上僅
　　剩修國、耀光、杰志。

△　乾子，一角，上。。

耀光： 杰志！你沒事吧！？

△　以下三人皆焦急地各自說著自己想說的話，因此，三
　　人台詞幾乎重疊在一起。

耀光：（心急地）杰志，官司不是打完了嗎？你可以安心演
　　　　戲啦！

杰志：（哭泣地）團長，對不起，我以為我可以控制我自
　　　　己，可是我一想到我最要好的親大哥出賣了
　　　　我——我沒有辦法控制自己，他毀了我一世清白。

修國：（安撫地）堅強一點，人生到頭來不就像我們排的這
　　　　場戲一樣，該躺進墳墓裡的就躺進去。不論生前
　　　　地位多高或是個無名小卒，最後都會變成一副軀
　　　　殼，而且還會發臭！

耀光：（大聲地，對杰志）聽懂了沒有！

△　沉默片刻。

杰志：（忿忿難平地）我知道我的下半輩子被毀了。

修國：（故作輕鬆地，安慰狀）沒這麼嚴重。

杰志：（憤世嫉俗、咬牙切齒地）但是我不好過誰也別想好過！這次回劇團我有一個很惡劣的想法——

修國：什麼？

耀光：你說啊！

杰志：我存心要回來看看這個劇團的戲什麼時候（加重語氣地）砸掉（閃電、打雷音效）！（激動地）我要親眼看見這個劇團解散我才甘心！

　△　團長修國受到刺激、暈眩狀，耀光急忙攙扶著修國。

杰志：（似是神智錯亂又出奇冷靜地，走至修國面前）團長！你們一定要替我保守這個秘密。

　△　三人對望、停頓。

　△　曾城國，自舞台左側，上。杰志，下。

城國：（問修國）還要不要排戲？

修國：（神智混亂地）當然要排！我來處理。

　△　修國將骷髏交給乾子，下。

　△　耀光亦焦躁地，下。

乾子：（對城國，興奮地）團長說，我們昨天演出莎姆雷特跟霍拉旭那對組合，是最成功的演出。

城國：喔！（冷淡地）恭喜你。

△ 森林紗幕，上升至舞台二分之一處，後方出現的是皇后寢宮的場景。

△ 千嘉帶著一束鮮花，坐在寢宮床邊。城國走至千嘉旁。

△ 乾子迴避狀，卻逕自躲至舞台左側的樹叢後方。

千嘉：（冷冷地，對城國）那個叫阿美的獻花女子要我把花交給你。

△ 千嘉不悅地將鮮花丟給城國。

城國：（無奈地，自我辯白）千嘉，我跟妳講過很多次，我跟那個叫阿美的無聊女子一點關係都沒有，全都是小鳥雜誌亂寫的。（停頓，千嘉冷冷地看著城國）阿美在我心目中一點份量都沒有。

△ 打雷音效聲。

千嘉：（平靜地）這幾天，我不演皇后，我內心反而很祥和。我從頭到底想了一下莎姆雷特的劇本，我覺得很可笑。裝瘋的是假瘋，正常的反而發瘋，我差點搞不清楚什麼是真、什麼是假，（哽咽地）什麼是戲、什麼不是戲。你會成名的，你會成為偶像的，我祝福你。

城國：（略激動地）我說真的，我不想當什麼偶像！我只希望能在妳心中留下一點份量就夠了，妳應該相信我。（走向千嘉旁，摟著她的肩）我們還會在一起，（打

雷聲）生命中妳是我的第一個，當然也是最後一個。

△　千嘉哭泣，逕自走至舞台一角。

千嘉： 對了！忘了告訴你一個好消息，（哽咽地）阿美懷孕

了，希望你這次勇敢的當爸爸──

△　千嘉泣不成聲。

城國： 千嘉，我們能不能重新來過？

△　千嘉哭泣、不語，下。

△　此時，在一旁偷聽的乾子不小心將手中的骷髏掉出，

被城國發現。

城國： （對乾子）你還在？──（威嚇地）你沒聽到什麼吧？！

乾子： （急忙否認）沒有、沒有！──（稍頃，調侃地）恭禧你

啊！

△　城國將手上的鮮花送給乾子，追千嘉，下。

乾子： 啊！謝謝！

△　化妝助理提著一把椅子，自一角，上。

化妝助理： 郭大哥！我幫你補妝。來！坐這裡

△　乾子起身，坐在椅子上，化妝助理替他補妝。

△　李修國，自舞台右側，上，在一旁聽著兩人的對話。

乾子： 妳是……娃娃！妳結婚沒有？

化妝助理： 結啦！

乾子： 妳老公我沒看過。

化妝助理：（平靜地）死了。

乾子：怎麼我一問他就死了？……抱歉——（追問）怎麼回事？

化妝助理：（平靜地，邊幫乾子補妝邊說）他去釣魚的時候，被海浪捲走。

乾子：他是船員？

化妝助理：不是，他是機車修理店的技工。

乾子：什麼時候的事？

化妝助理：兩年前，大年初二。他去釣魚的時候聽說被瘋狗浪捲走。

　　△　打雷聲。

乾子：被瘋狗叼走喔！

化妝助理：瘋狗浪。（回味台詞）一隻小麻雀死也是天命……

修國：（打斷二人談話）郭大哥！我老婆找你。

　　△　乾子起身，將鮮花交給化妝助理，走向修國。

修國：（對乾子）她在後台化妝室等你。

乾子：團長，有句話我不知道該不該說？

修國：你說！

乾子：我覺得剛才你演的莎姆雷特——

修國：怎麼樣？

乾子：不怎麼樣！（故作謙虛地，自薦）我只是建議，如果換做是我演，我可能會這樣演——（即興，立刻扮演莎姆雷特，對著手上的骷髏頭說）可憐的弄臣郁立克！霍拉旭，我認識他，他是一個最會說笑話、非常富有想像力的傢伙。（結束扮演，興奮地對修國說）團長！你要比照哪一場的角色調整？照昨天好了，我演莎姆雷特。

修國：（罵乾子）我找誰演莎姆雷特都可以，我昨天就是失策，不應該找你演莎姆雷特。我問你，昨天演的是什麼莎姆雷特，台詞語無倫次，亂拼亂湊，你在演什麼東西？

乾子：團長，全世界很多名演員都演過莎姆雷特。像演過舞台劇的狄洛·傑克比[9]、尼可·威廉森[10]、亞倫·貝茲[11]；演過電影的勞倫斯·奧立佛[12]、李察波頓[13]、梅

---

9 Derek Jacobi，1938 年生於英國，主演電影有《再續前世緣》、《慾望迷宮》、《神鬼戰士》、《聖經密碼戰》、《哈利波特》與《哈姆雷特》等。

10 Nicol Williamson，1938 年生於英國，1969 年主演首部彩色版電影《哈姆雷特》。

11 Alan Bates，橫跨電影、電視及舞台劇的資深英國演員，他的電影作品有《微風輕哨》、《希臘人左巴》、《喬琪姑娘》、《紅心老K》、《瘋狂佳人》、《一段情》、《傻俠》、《歌聲淚痕》、《怨女春曲》、《危情叛逆》、《哈姆雷特》、《葛斯佛公園》、《天蛾人》等片。

12 Laurence Kerr Olivier, Baron Olivier, OM，1907 年 5 月 22 日－1989 年 7 月 11 日，英國電影演員、導演和製片人。一生共獲得 14 次奧斯卡提名，並憑藉 1948 年的影片《哈姆雷特》獲得最佳男主角獎和最佳影片獎。

13 Richard Burton，1925-1984 年。主演電影包括《大法師 2》、《埃及艷后》、《回頭怒視》等，並與伊莉莎白泰勒主演莎翁作品《馴騏記》。

爾‧吉普遜[14]。可是就沒有一個像我演的這麼具有台灣本土風味的莎姆雷特，（即興，再次扮演莎姆雷特）讓我一劍戳進他靈魂深處——

修國：（不耐地，制止乾子）你去找我老婆！

△　乾子將骷髏頭拋給修國，下。

修國：娃娃，妳不難過嗎？

△　森林紗幕緩緩降下。

化妝助理：難過什麼？

修國：妳老公。

化妝助理：（平靜地）都兩年多了，有什麼好難過的。（沉默，看著手上的鮮花）這個——

修國：給我！

△　化妝助理將手上的鮮花交給修國。

化妝助理：你和我老公很像，你說話的樣子，你思考的方式，你面對事情逃避的神情、態度，你從來不和任何人說你的心事，你只會把一些心情寫在筆記本裡，（尷尬地笑）不管誰看見筆記本的內容會發現更

---

14 Mel Gibson，1956 年 1 月 3 日出生於紐約，12 歲遷居澳洲。梅爾吉普遜在高中畢業時因為姊姊為他申請 NSW 大學的戲劇系，而陰錯陽差走入戲劇的領域。後因電影 *Summer City* 被發掘，而以衝鋒飛車隊進入美國好萊塢。主演電影包括《致命武器》、《英雄本色》、《綁票通緝令》、《決戰時刻》、《男人百分百》等。

難了解你，你躲在那些句子的後面，是一種更複
雜的心情——

修國：我

(二人幾乎同時)因為你始終覺得人生是一團謎——

化妝助理：你

△　二人相視而笑。

化妝助理：(哽咽地)修國，你和我老公真的很像，你的容貌、
體型和他幾乎一模一樣。戲總有結束、落幕的時
候，如果以我的身份可以對你提出一點要求的
話——我可以請求你，不要和你太太離婚，跟她
說出你心裡的話，她一定會聽進去的。

△　二人沉默。

修國：(逃避地，看著手上的鮮花)咦！這是誰送我的花？

△　燈光漸暗。

△　白紗幕降。

S9

風屏劇團 （高雄）

情境：

風屏劇團巡迴演出至高雄，正準備進行開台的拜拜儀式。

場景：

裸露的空舞台。（天幕[15]及所有翼幕[16]全昇起）

角色：

李修國、黃千嘉、樊耀光、鍾凌欣、杜梅詩、邱峰逸、劉佑珊、曾城國、郭乾子、狄杰志、夏立克、黃凱致、黃詠浩、李碩胤、林宗正、蘇玄育。（本場全體穿著便服）

---

15 置於舞台最後方的布幕，配合燈光以表現天空景象。
16 又名側幕，置於舞台兩側，防止觀眾直接看到後台。

△　白紗幕投影字幕——
　　「他的語言變得　空空洞洞
　　因為他能說的動聽話　都說完了
　　——哈姆雷特（李修國）」

△　燈光亮，舞台一角擺著一張供桌。千嘉、修國，已在場上。

修國：妳燒香了嗎？

千嘉：我不能拿香，因為女孩子每個月……（意指生理期）。

修國：（恍悟貌）喔！

△　沉默片刻。

千嘉：演了這麼久的戲，（看著偌大的空舞台）我到現在才看清楚整個舞台原來是這個樣子。

修國：三年前，風屏劇團在《萬里長城》演出結束之後，就是在這個舞台上，我們所有的演員留下來幫忙拆台，技術人員把所有的翼幕都昇起來，整個舞台裸露在我眼前。從那一刻起，我就把這個畫面放進我的記憶裡。（心有所感地）看著空蕩蕩的舞台，我一直不明白，這舞台上扮演的是戲？還是人生？

千嘉：（有感而發地）舞台裝好、觀眾看戲，演出謝幕、觀眾回家。一切從無中生有，又從有變無。人生不

也是如此，一路走來累積了悲苦喜樂，發生過了，然後就像這空蕩蕩的舞台一樣，好像什麼事都沒有發生。

修國：千嘉，台中演出結束之後，妳不願意再演皇后，我其實很不諒解。

千嘉：（哽咽地）團長！我真的沒有能力再和城城同台演戲，你知道那種痛苦嗎？有一個人刺傷了你的心，你還要站在台上、在他面前，裝瘋賣傻，假裝一切都只是戲！然後在戲裡面你還要很用力地愛他——（哭泣）我做不到！

　△　峰逸，一角，上。

修國：峰逸，你燒香了嗎？

峰逸：我不能拿香，我是基督徒。

修國：（恍悟貌）喔！

千嘉：峰逸，為什麼你後來不演莎姆雷特？

峰逸：我不認為我是個好演員，（笑）導演說我不夠用功只會背台詞、唸台詞，我說台詞沒有動機，走路沒有目標，有行動、沒有思考，在舞台上我就像是個木偶，有手不會動、有腳不會走，我的角色一直換、一直換，換到後來，在台南我連演個兵士

甲都不敢上台。（走向修國）團長，對不起。

修國：（並不責怪峰逸，安慰狀）其實我覺得是劇團裡面有人在勾心鬥角，某人存心不讓峰逸演莎姆雷特。

　△　樊耀光、鍾凌欣嬉鬧地，自一角，上。

耀光：（對凌欣）只要妳不說，有誰知道是我幹的！？

　△　夏立克，自一角，上。

修國：（面有愁容地）耀光，打火機借一下。

耀光：我戒煙了！團長，難得大家一起出來玩，你不要苦著一張臉嘛！

修國：（斥責地）我出來演戲，你出來玩？（伸手向耀光要）打火機？

耀光：（拿出打火機，交給修國）沒瓦斯了！

　△　修國欲點香，點不著，放下打火機，欲下。

凌欣：（叫住）團長，上次台南演完之後，我在家收到一封信，（小心翼翼地）觀眾對我們的戲有一點點意見。

修國：觀眾有意見？

凌欣：他說莎士比亞一生寫了三十七個劇本，從來就沒有一齣戲叫做《莎姆雷特》，應該是《哈姆雷特》。

耀光：這封信也寫得太晚了吧！（笑）我們都演了那麼多場。

修國：（走向耀光旁）我們應該尊重編劇，當初我去找李國修拿劇本的時候，我還跟他爭執過。我說應該是「哈」不是「莎」，可是他堅持說是「莎」字不是「哈」字。

耀光：不對喔！他打電話跟我說是「哈」字不是「莎」字，是他筆誤。

修國：他筆誤？（生氣地）他什麼時候打給你的？

耀光：今天早上。

修國：（斥責地）今天早上跟你講，你現在才告訴我？（氣憤地）我是團長，永遠是最後一個才知道。

凌欣：團長！那個觀眾還有一點點意見，他說，在第三幕第……（忘記是哪一場戲）

立克：（在一旁做暖身狀，其實是在提示凌欣）三、二……

凌欣：第三幕第二景……（又忘記是哪一場戲）

立克：（小聲提示凌欣）戲班子。

凌欣：戲班子那場戲。在原劇本裡面戲班子不是只演一小段啞劇，其實他們還演了一段諷刺劇，國王才發現王子的陰謀。我們演得不合理而且矛盾。

修國：那封信拿給我看。

凌欣：沒帶。

修國： 那個觀眾是誰？

　△　夏立克欲逃避狀。

凌欣：

　（同時，指夏立克）他！

耀光：

立克：（尷尬地）我！？

修國：（質問）夏立克，你有意見你直接跟我講，幹嘛要偽裝成一個觀眾？

立克：（尷尬地）我不太會說話，我怕詞不達意。

　△　峰逸情緒低落地坐在舞台前緣一角，千嘉上前坐在他身旁。二人逕自交談，不理會台上正在發生的事情。

修國：（略激動地）我跟你講，莎士比亞的劇本矛盾不合理的地方本來就很多。你們拿到劇本從來不研究，我跟你們講，我就有很多疑問要提出來……

　△　耀光在一旁點燃打火機。

耀光：（插話，驚訝地）還有火！

修國：（制止耀光）不要玩火！

耀光： 要不要點？

修國：（命令耀光）丟掉！（耀光將打火機丟掉。滔滔不絕地說）第一點：在劇本裡面第一幕第一景、第四景、第五景，連城堡上的士兵和霍拉旭都看得見國王的鬼

魂，為什麼第三幕第四景皇后寢宮那一場戲，皇后卻看不見鬼魂？（詢問眾人）矛盾吧！？難道那些士兵都有陰陽眼（凌欣發笑）？第二點：你們想過沒有，王子復仇的時機非常多，他幹什麼要利用一個戲班子演一齣戲來刺激國王，然後發現國王的陰謀，對不對？這裡有矛盾，你們沒有想到嗎？如果戲班子不願意配合呢？不配合就沒有那齣戲，就不能刺激國王，王子就不能證實國王的陰謀！然後就沒有王子復仇的故事，對不對？戲班子有那麼偉大嗎？！矛盾、不合理本來在生活中就到處都是。有一天——不是有一天，好幾天，我手上拿一束鮮花，到現在不知道是誰送的？還有，夏立克！如果你是觀眾，你現在坐在二樓最後一排，你聽不見我們在講話，（走向凌欣旁，牽著她的手）我現在跟鍾凌欣說：凌欣啊！我跟你說開台拜拜買水果要買——？

凌欣：（回答修國）圓形的。

修國：（藉機數落凌欣，指著供桌上的水果）妳去買那個有角的——？

凌欣：（害怕地回答修國）楊桃……

修國：（不悅地，指責凌欣）幹什麼？我早就說過了，有角的水果拜完會人事不和！

凌欣：（不承認錯誤，辯解）可是榴槤是圓……

修國：（不悅、大聲地責罵凌欣）可是它的角更多！（持續牽著凌欣的手，轉身對立克說）你現在看我這個動作，你沒聽到我們講話，你以為我跟她有什麼曖昧！（放開凌欣的手）沒有嘛！（激動地）所以我說，生活裡矛盾、不合理的事到處可見！你們去挑剔一個劇本矛不矛盾？合不合理？幹什麼！？我跟你們講，現在風屏劇團最大的矛盾就是——我們不應該演莎士比亞的劇本！（更加激動地，對眾人）莎士比亞跟台灣人有什麼關係！？

△　修國忿忿地，下。眾人被修國的反應嚇到。

立克：（指修國離去的方向，詢問耀光）他怎麼了？！

凌欣：（小聲地，對耀光、立克）你們不知道吧！他老婆要跟他離婚了。

耀光：我聽到的情報是還不確定，我認為他們早晚會離婚——

△　修國又上，帶了一把水果刀。耀光、凌欣、立克驚嚇地紛紛閃遠離至舞台一角。

耀光：

（驚愕地，同時）團長！你幹什麼？不要衝動……

凌欣：

修國： 我很冷靜……我吃個蘋果？

凌欣：（害怕地）沒買蘋果。

修國： 沒關係，我吃個香蕉。我沒事，大家放心（修國拿起

供桌上的香蕉，發現是塑膠製的）我的媽呀！（責罵凌欣）

妳連水果都買假的！連鬼神都要欺騙！

　△　其他團員（狄杰志除外），上。鍾凌欣至一旁安撫千

嘉。

佑珊：（情緒低落地）我跟你們講……我知道每個人都有壓

力跟挫敗……

修國：（對佑珊）一切恩怨是非都會成為過去。

佑珊：（略顯激動地，對修國）可是我們不要中計！

修國：（試圖安撫）老婆……

佑珊：（意有所指地）哈姆雷特王子的個性、行為、加上大

環境的災難造成了他的悲劇，可是我們不要——

修國：（試圖打斷佑珊）我來處理——

佑珊：（打斷修國）我們不要因為每個人自己的個性跟行

為，環境給我們的災難、壓力，而造成了我們劇

團的悲劇！

修國：（大聲制止）妳不要亂講！不管妳的災難壓力是來自於社會或者家庭，統統拋開。（對眾人，情緒激昂地）高雄最後一場演出，我希望大家用力演一場好看的悲劇，讓觀眾起立鼓掌三十分鐘！ ok?

眾人：（稀稀落落地應和聲）好！ ok!

　△　稍頃，狄杰志穿著雷歐提斯的戲服自一角，上，背著一個大行李袋。

杰志：團長！發生什麼狀況了？

耀光：（向前詢問，關切地）你沒事吧！

杰志：我剛剛去旗津海水浴場，看人家游泳……

耀光：（對修國）團長，我相信他這次可以安心的演戲了。

修國：（對杰志）可以嗎？

杰志：（對修國）我想通啦！他是我血脈相連的親大哥，我有什麼好計較的？對不對？我在海水浴場放眼一望，每一個人我都不認識。可是我還有一個親大哥，我不愛他誰愛他！？「恨」解決不了問題嘛！對不對！？

修國：（對杰志）恭喜你！（對眾人）現在讓我們一切重新開始，團結一致！

立克：好！我帶大家一起練劍！

△　眾人撤掉場上拜拜用的供桌,準備排演,並且紛紛前往後台,找尋自己的劍。

眾人:(七嘴八舌地)好……去拿劍……我去拿劍……劍在哪裡?誰把劍藏起來了?

耀光:(激勵地)明天還有最後一場演出,大家快點!

△　杰志一手把全部的劍都抱上台來。

杰志:(對眾人)劍在我這裡!

△　眾人陸續,上。人手一柄劍,排成隊形、圍成一圈,向圓心舉劍。立克帶領大家練劍。

立克:(激勵地)好!剛才團長說要觀眾起立鼓掌幾分鐘?

眾人:(齊聲大喊)三十分鐘。

立克:(激昂地)好,三十分鐘。Ready?

眾人: Oui.

立克: Ready?

眾人: Oui.

立克: Ready?

眾人: Oui.

立克: Team[17].

眾人: Oui.

△　眾人排列成半圓形隊伍。劍尖擊地。隨即,眾人將劍

---

17 為「列隊」之意。

高持，立克亦高持著劍，跑過眾人面前，以劍尖碰響每個團員的劍，鼓舞士氣。

立克： Allez.

眾人：（齊聲）Allez.

△　眾人走至各自地位──隊伍呈二橫排。以下，立克發號司令，眾人一口令一動作地進行演練。

立克： Salute[18]!

眾人：（作以劍敬禮動作）Salute!

立克：（示意眾人作戰鬥預備動作）On Guard[19].

眾人：（作擊劍預備姿勢）On Guard.

立克：（示意眾人作刺擊動作）Attack[20].

眾人：（刺擊動作）Attack.

立克： Attack.

眾人： Attack.

立克：（示意眾人重新列隊）Team.

眾人： Oui.

△　眾人走至各自地位，呈二人一組小隊。

立克： Parries-Riporte[21]. Are you Ready?

18　敬禮。
19　戒備、就戰鬥姿勢。
20　進攻、襲擊。
21　撥刺劍法，擋住對手刺擊後還擊。

眾人： Oui.

立克： Allez.

△　眾人兩兩一組，作撥刺劍法。隨後又變換隊形——隊伍呈倒V型。

立克： On Guard.

眾人： On Guard.

立克： Are you Ready?

眾人： Oui.

立克： Lunge[22].

眾人： Lunge.

立克： Relunge[23].

眾人： Relunge.

立克： Retreat[24].

眾人： Retreat.

立克： Retreat.

眾人： Retreat

立克： Salute!

眾人： Salute!

---

22 長刺。
23 墊步長刺。
24 退後動作。

立克： Engage[25].

眾人： Engage.

△ 眾人高持劍，變換隊形——隊伍呈二縱排，眾人兩兩
一組，劍鋒交錯。

△ 眾人士氣高昂。

立克： Ready?

眾人： Oui.

立克： Ready?

眾人： Oui.

立克： 風屏劇團！

眾人： 加油！加油！加油！

立克：（高持劍，奔向隊伍之中，以劍撥開交錯的劍鋒、碰響每個團
員的劍尖，鼓舞士氣）Allez.

眾人： Allez.

△ 燈光暗。

△ 白紗幕降。

---

25 交手，「交戰」之意。

S10

終演日 （高雄）

情境：

風屏劇團巡演至高雄最後的一場演出，本場摘演原《哈姆雷特》，第五幕第二景。

場景：

城堡中大廳。

角色：

哈姆雷特（李修國飾）、霍拉旭（邱峰逸飾）、國王（樊耀光飾）、皇后（鍾凌欣飾）、奧斯里克（郭乾子飾）、雷歐提斯（狄杰志飾）、貴婦甲、乙、丙（劉佑珊、黃千嘉、杜梅詩分飾）、兵士甲（曾城國飾）、朝士（黃詠浩飾）、兵士乙、丙、丁、戊（夏立克、黃凱致、李碩胤、林宗正分飾）、獻花女子。

△　白紗幕投影字幕——

　　「風屏劇團　演出《莎姆雷特》」

廣播：（OS）各位來賓晚安！歡迎您蒞臨高雄市立中正文化中心至德堂，觀賞風屏劇團的演出。節目即將開演，在演出之前，風屏劇團特別聲明，請容許我們向四百四十二歲的莎士比亞先生致歉，今晚的演出正確的劇名應該是《哈姆雷特》——歡迎觀賞！

△　投影字幕——原「《莎姆雷特》」字樣——轉成「《哈姆雷特》」

△　燈光亮。

△　白紗幕升。

△　城堡中大廳之背牆軟景片因懸吊故障，卡在半空中，上下晃動著。

△　場上已有哈姆雷特坐在國王椅上，霍拉旭佇立在一旁。

霍拉旭：哈姆雷特殿下，要是您心裡不願做那椿事，那麼就別勉強吧！我可以去通知他們不用到這兒來，就說殿下您現在不能比武。

△　突然地，城堡中大廳的懸吊水晶燈落下，差點打到霍拉旭的頭。霍拉旭閃躲倒地、嚇得不小心大叫一聲，哈姆雷特亦驚慌不已。

哈姆雷特：（驚慌地看著仍掛在半空中、上下晃動的懸吊水晶燈，一邊說台詞）不，我一點也不，我不信徵兆，一隻麻雀死也是天命。（慌亂地，加快說話速度）命中注定是現在便不能在將來如不在將來必在現在如不在現在將來總要來，由它去吧！

△　哈姆雷特起身，快步走至舞台一角。

哈姆雷特：既然沒人死後能再知生前之事，及時而死又算得了什麼呢？隨他便吧！

△　軍號聲響起。

△　城堡中大廳之背牆軟景片終於掉落，並打到國王椅後方的景片，景片立刻折斷成兩截。在一陣慌亂中，後台技術人員決定將森林紗幕降下來遮蔽出狀況的城堡中大廳場景。

△　奧斯里克、兵士們、朝士、貴婦們、雷歐提斯、國王、皇后，上。除了奧斯里克被擋在森林紗幕後方，其餘人紛紛竄到森林紗幕前——兵士們、朝士、貴婦們分列舞台左右，國王、皇后、雷歐提斯站在哈姆雷特旁。

△　哈姆雷特故作瘋癲地學雞叫。

國王：來，哈姆雷特，歡迎你來到這城堡中富麗堂皇的大——（轉身見到森林紗幕，即興）大家不要懷疑，是我臨時改變了比武的地點，在大自然裡，讓天作

證、讓地作證，這是一場光明磊落的比武。更何況比武是不受地點限制的！妳說是吧！葛楚德？

皇后：（即興）是的，陛下。

國王：（回原台詞）來，哈姆雷特，來，握這手。

△　國王將雷歐提斯的手放在哈姆雷特手上。

哈姆雷特：原諒我，雷歐提斯，我得罪了你，凡是我的所作所為，足以傷害你的情感和名譽，激起你的憤怒來的，我現在聲明，這一切都是我在瘋狂中犯下的過失。我哈姆雷特絕不會做對不起雷歐提斯的事。現在要請求你寬恕，寬恕我的不是出於我的罪惡。

雷歐提斯：對於這件事情，（私人情緒仍未平復，精神恍惚地，）我的感情……應該是激動我復仇的主要力量。

國王：（看出雷歐提斯的異狀，欲安撫雷歐提斯，即興）雷歐提斯，過去的就讓它過去，不要再想它了。

雷歐提斯：（強做鎮靜地）現在我在感情上總算滿意了——

國王：（即興，對眾人）他在感情上，現在很滿意有我們給他的鼓勵——

△　眾人以笑回應。

雷歐提斯：（強做鎮靜地）不過，我的「名譽」問題——

△　飾演雷歐提斯的杰志仍未平復情緒，突然放棄扮演，
　　　　欲走下台，被眾人攔阻。

國王：（拉回雷歐提斯，即興）是的，你的「名譽」問題，社會
　　　　會還給你一個清白。

雷歐提斯：我的名譽問題……（即興，哀嚎地）我還有什麼名譽
　　　　可言，我欠人家四千萬……

　　△　飾演雷歐提斯的杰志顯然瀕臨崩潰邊緣，無法繼續演
　　　　出。

國王：（即興）來人啊！他大概受了點刺激，先扶他下去，
　　　　讓他休息、休息……

雷歐提斯：（情緒崩潰地）肏！誰要借我四千萬！？

　　△　兵士丁、戊將雷歐提斯拖下台，下。後台仍傳來杰志
　　　　悲痛的哀嚎聲。

國王：（受不了杰志的哀嚎聲，對兵士們，即興）能不能拖遠一
　　　　點！（回到原台詞）來！把鈍劍分給他們——

哈姆雷特：（打斷國王，即興）陛下，現在恐怕……沒有人可以跟
　　　　我哈姆雷特比武了？！

　　△　眾人面面相覷，靜默片刻。

國王：（即興，思索貌）這個……事到如今我必須鄭重宣告
　　　　一件驚人的內幕，（指修國）他不是真正的哈姆雷
　　　　特王子，（指峰逸）他才是真正的哈姆雷特。

△　峰逸聽到將扮演哈姆雷特，當場害怕腿軟。耀光強拉住峰逸。

修國：（即興）……對，我是霍拉旭——

國王：（立刻糾正修國，即興）你不是霍拉旭，你是雷歐提斯。

修國：（驚訝貌）——啊？（即興）哈！這是事實，我在這宮廷——（見後方的森林紗幕，立刻改口）森林裡，偽裝了這麼久，我真實的身份確實是雷歐提斯，你們都沒有料到吧（笑）？！

△　李修國即刻扮演雷歐提斯。

國王：（即興）葛楚德，我早就發現雷歐提斯的陰謀了，恐怕妳是最後一個知道的。

皇后：（即興，震驚地）天哪！（對峰逸）原來你就是我的親生兒子哈姆雷特，（故作哽咽地）我竟然一直被蒙在鼓裡。

國王：（即興，強拉皇后、哈姆雷特二人的手）今天骨肉總算團圓了。

△　兵士丁、戊，又上。

皇后：（即興，把峰逸當成哈姆雷特，哽咽地）親愛的哈姆雷特，讓母親好好看看你。委屈你了，這麼多年，為什麼你不敢承認你就是我的親生兒子哈姆雷特？

峰逸：（不情願、欲逃避地）我？我……呃？嗯……

國王：（即興，對峰逸）你為什麼不敢承認？（對修國）他為什麼不敢承認？

峰逸：（驚慌、大叫）太突然了——

△　皇后急忙摀住峰逸的嘴。

貴婦甲：（即興）他當然不敢承認。哈姆雷特王子的個性我最瞭解，他從來沒有研究過——哈姆雷特一向（公報私仇地，轉身對著修國，罵）懦弱、優柔寡斷、猶豫不決，他內心充滿了各種矛盾與掙扎。哈姆雷特早就有「憂鬱症」！他對任何事情都抱持著厭惡悲觀的態度，遇上任何事情都不敢迅速敏捷地去處理，（對峰逸）包括他自己本來就是哈姆雷特，連他是王子他都不敢承認。

雷歐提斯：（即興）感謝那位婦女同胞說出了我心裡要說的話！我想——（不小心脫口而出）妳要離婚的事以後再談！（對峰逸）哈姆雷特，（斥罵）你真懦弱，你這個窩囊廢，（暗示峰逸此刻立即扮演哈姆雷特）你承認吧！我雷歐提斯還要向你報殺父之仇！

△　修國模仿哈姆雷特王子學雞叫、瘋癲狀，以暗示峰逸。峰逸立刻轉飾哈姆雷特，學雞叫、瘋癲狀。

國王：（鬆了一口氣似的笑了起來）現在真相大白了，去取劍——

△ 以下，原飾哈姆雷特的李修國改飾雷歐提斯，原先飾演霍拉旭的邱峰逸被指定飾演哈姆雷特。

哈姆雷特：（箭步奔向雷歐提斯面前，單膝跪地）雷歐提斯，我的劍術荒疏已久，只能給你做陪襯。就像在最黑暗的夜裡一顆閃著光亮的明星一般特別的燦爛。

雷歐提斯：（笑）你取笑我了，哈姆雷特殿下！

哈姆雷特：（笑，起身）我可以舉手起誓，這不是取笑。

國王：把鈍劍分給他們，霍拉旭——

△ 眾人突然意識到，場上竟然少了一個飾演霍拉旭的角色。靜默片刻。

貴婦乙：（即興）我想我知道誰是霍拉旭——是他（指飾演兵士甲的曾城國。兵士甲反應不及、一臉困惑地，兵士丁用長槍戳兵士甲）。我在這個森林裡觀察了很久。（公報私仇、意有所指地，數落城國）有些人，自己幹了什麼事自己都不知道，他就是哈姆雷特最信任的朋友——霍拉旭！

國王：哈！哈！（與兵士甲握手，示意兵士甲扮演霍拉旭）霍拉旭。

兵士甲：（即興）在我的身份尚未確定之前，我想請求站在（指貴婦乙）那邊的那位婦人的寬恕，（即興，借用原哈姆雷特的台詞）凡是我所作所為足以傷害她的情感

和貞潔，激起她的憤怒來的，我現在聲明，這都是我在瘋狂中所犯下的過失。我，一個妾身未明的兵士甲，絕對不會做對不起那位婦人的事。我現在要向她請求寬恕，（對貴婦乙，單膝跪地）寬恕我的不是出於我的不貞潔。

國王：（對兵士甲）霍拉旭——

兵士甲：（駁斥國王）跟你說，我不是！

皇后：（即興）為了顧全大局，（勸貴婦乙）妳就原諒他吧？！

貴婦乙：（即興，借用雷歐提斯的台詞）對於這件事情，我的感情應該是激動我復仇的主要力量——

國王：（即興，勸貴婦乙）感謝您這位婦女同胞！不論妳現在是多麼的憤怒或是多麼的想復仇，還是讓我們以公事為重吧！

皇后：（即興，激動地，罵國王）女人家的事情你懂個屁！（驚覺失態，立刻轉換態度、表示歉意地）我是說……（強拉國王的手，親吻，以表示悔意）陛下您且莫衝動，我們還是尊重這位婦女同胞的意願。（對貴婦乙）妳願意寬恕他的不貞潔嗎？

　△　團長李修國強烈暗示貴婦乙原諒曾城國。

貴婦乙：（即興，無奈地）我願意——

國王：（即興，對兵士甲）她願意。

兵士甲：（驚喜地）願意！是的，（起身，即興）我承認我就是霍拉旭！

　△　以下情節，飾演兵士甲的曾城國改為飾演霍拉旭。

國王：（如釋重負地，笑）太好了，現在真相「又」大了一個白，（示意霍拉旭）劍！

霍拉旭：（未進入狀況）誰？

國王：你，去取劍來，霍拉旭！

霍拉旭：（會意）是，陛下——

　△　霍拉旭欲前去取劍，下。眾人鬆了一口氣似的相視而笑。稍頃，霍拉旭手上並未帶著劍且驚慌地，奔上。

霍拉旭：（慌張地，即興）不好了、不好了！陛下，我想有人把劍全部藏起來了。

國王：（即興）不可能的，這森林太大了，仔細找找。

　△　奧斯里克，自舞台右側，上。

奧斯里克：（即興）啟稟陛下，告訴陛下一個好消息！宮殿大廳已經整修完成，我們可以回大廳比武了。

　△　森林紗幕緩緩地向上升起。

國王：（慌亂地，即興）比武是不受地點限制的——（看著正在上升的森林紗幕）你下來！

　△　森林紗幕又迅速降落、重重地落地

國王：（強作鎮定地）我們現在只需要兩柄劍。

△　獻花女子帶著鮮花、拿著兩柄劍，亦自舞台右側，上。

獻花女子：（對眾人）你們在找這兩柄劍嗎？

△　眾人愣愣地看著獻花女子。扮演貴婦乙的千嘉不悅地走至舞台一角，扮演皇后的凌欣向前安撫。

國王：去取劍來！霍拉旭！

△　霍拉旭尷尬地向前去向獻花女子取劍；獻花女子，下。

△　霍拉旭將劍分給哈姆雷特、雷歐提斯。

皇后：（即興，安撫貴婦乙）這件事情就讓他過去，妳就別放心上了。

貴婦乙：（不悅地，即興）請皇后放心，相信過了今天晚上，他就會在這個地球上消失了。

△　扮演霍拉旭的曾城國心頭一驚。

國王：（即興，笑）太好了，又有一個真相再度大了一個白。（走向飾演雷歐提斯的修國旁，卻誤以為他是哈姆雷特）哈姆雷特——

皇后：

（同時，糾正國王，指著飾演哈姆雷特的峰逸）是他！

雷歐提斯：

△　慌亂之下，國王誤以為大家指的是曾城國，走向曾城國旁。

國王：（對城國）哈姆雷特！

霍拉旭：（即興，大聲斥罵）你怎麼講不聽啊！（指峰逸）是他！

國王：（對峰逸，即興）哈姆雷特姪兒，我找你找得好苦啊！

（回原台詞）你可知道我們是怎樣打賭的嗎？

哈姆雷特：很知道，陛下！可是你……

雷歐提斯：（搶詞）這一柄太重，換一柄給我。

國王：

（不耐地，即興，同時對雷歐提斯）不要再換了！

皇后：

雷歐提斯：（即興）但是……這一柄沒有塗著……大家心裡有

「毒」就好了！

哈姆雷特：這一柄我很滿意。這些鈍劍都是同樣長短的柄嗎？

奧斯里克：是的，柄都是一樣的柄，（誤以為峰逸扮演的是霍拉旭）

霍拉旭。

皇后：

（即興，同時糾正奧斯里克）他是哈姆雷特！

國王：

奧斯里克：（無辜貌，即興）噢！原諒我剛才不在現場，請容許我

瞭解多一點，現在誰是霍拉旭？

城國：（即興）他們早就知道霍拉旭是我。

奧斯里克：（即興，公報私仇地，抽出一把短劍，走向城國）噢！讓我

　　　　一劍戳進他靈魂深處——

△　國王立刻向前制止奧斯里克。

國王：（強拉著奧斯里克，即興）你又有什麼委屈嗎？奧斯里

克，你給我退下！（奧斯里克欲下，又被國王叫住）你

上來，不能下去！你是奧斯里克裁判員！（回原台

詞）你們在場裁判的都要留心看著。（示意比武開始）

來吧！開始吧！

△　軍號聲響起。

△　起劍式。

哈姆雷特：　　　　　雷歐提斯！

（同時）請了！

雷歐提斯：　　　　　哈姆雷特殿下！

奧斯里克：（以短劍撥開二人交叉的劍尖）Allez!

△　二人開始比武。稍頃——

△　狄杰志衣著怪異地帶著一柄劍，上。眾人見狀，驚嚇

不已。

杰志：（激昂地）對於這件事情，我的感情應該是激動我復

仇的主要力量。現在我在感情上總算滿意了——

△　眾人僵住，盯著杰志。

皇后：（即興，對杰志）這位高貴的青年雷歐提斯，你妹妹奧

菲利亞的葬禮已經舉行過了，你該回家了！

國王：（即興，對皇后）他可能不是雷歐提斯！（對杰志，小心翼翼地探問）這位高貴的青年，你康復了嗎？

杰志：（即興，小聲地對國王說）剛才有關單位通知我，他們說那位出賣我的親大哥已經被海基會[26] 抓回台灣了。

國王：雷歐提斯！

修國：

（同時回應國王）陛下！

杰志：

國王：（即興，對杰志）你且稍待，這位高貴的青年。（不知所措，慌張地拉著扮演雷歐提斯的修國至舞台一角商量）老雷，你看這怎麼處置？

△　奧斯里克試圖加入國王與雷歐提斯的討論。

國王：（即興，罵奧斯里克）裁判員請就位。（對雷歐提斯，小聲地）老雷，你看這狀況該怎麼處置？

雷歐提斯：（思索貌，即興）我想，我現在有一件非常驚人的內幕要向大家宣佈！

國王：（情急地，即興）請說，快！

雷歐提斯：（對眾人，即興）所以這驚人的內幕就是——（推託地）陛下，還是由你來宣佈吧！

---

26 「財團法人海峽交流基金會」。成立宗旨為「協商、交流、服務」，以協調處理台灣與大陸地區人民往來有關事務，並謀保障兩地區人民權益，不以營利為目的。

國王：（驚慌地）啊！（為難地，即興）應該的，我宣布，（指修國）你不是真正的雷歐提斯，（指杰志）他才是真正的雷歐提斯。（指峰逸）他不是哈姆雷特王子，（私心，刻意指城國）他才是真正的哈姆雷特。

修國：（即興，急忙糾正）不！（指城國）他不是哈姆雷特，（指乾子）他才是真正具有台灣本土風味的哈姆雷特。現在，我們每一個人都在最正確的位子上，讓我們開始一場真正爽爽快快的比武！

△　軍號聲響起。

△　燈光變化，森林紗幕升起，舞台場景轉換為城堡中大廳。

△　角色更動如下：原飾演奧斯里克的郭乾子改飾演哈姆雷特；狄杰志再度飾演雷歐提斯；原飾演兵士甲的曾城國改飾演霍拉旭。

國王：哈姆雷特，歡迎你來到這城堡中富麗堂皇的大殿！來，握這手！

△　國王示意哈姆雷特的手放在雷歐提斯手上。

△　皇后坐上王位，國王走至皇后旁。

哈姆雷特：（激動、手舞足蹈地揮舞著短劍，自以為是的亂演，閩南語）原諒我，雷歐提斯，我得罪了你，凡是我的所作所為足以傷害你的情感和名譽，激起你的憤怒來

的，我現在聲明都是我在瘋狂中所犯下的過失。哈姆雷特絕不會做出對不起雷歐提斯的事。我現在要向你請求寬恕，寬恕我的不是出於我的罪惡。

雷歐提斯： 對於這件事情，我的感情應該是激動我復仇的主要力量。現在，我在感情上總算滿意了！不過，我的「名譽」問題⋯⋯（情緒再度激動、瀕臨崩潰）我的「名譽」問題⋯⋯（哀嚎地）我的「名譽」問題⋯⋯

△ 雷歐提斯完全崩潰。團長修國暈眩過去，由城國攙扶著。

眾人：（紛紛將手邊道具扔在地上，放棄狀）完了！

△ 燈光漸暗。

△ 白紗幕降。

△ 白紗幕投影字幕──
「風屏劇團　鄭重宣告」
「We Shall Return」
「我們還會再回來」

尾聲

謝幕

情境：

風屏劇團巡演至高雄最後的一場演出，演出完畢後，全體演員謝幕。

場景：

舞台上。（仍為城堡中大廳場景）

角色：

全體演員。

△　燈亮。

△　全體演員已在台上，謝幕。

── 全劇終 ──

附錄

關於李國修

Hugh K.S. Lee（1955.12.30～）

生平與創作

　　李國修集劇團創辦人與經營者、劇作家、導演、演員於一身，第一屆國家文化藝術基金會文藝獎戲劇類得主及多項戲劇獲獎紀錄。迄今原創編導三十齣叫好又叫座的大型舞台劇。而個人演出超過百種角色，舞台表演逾千場，是當代華人劇壇深具成就的全方位戲劇藝術家。

　　祖籍山東萊陽的李國修，1955年生於台北市中華路鐵道旁違章建築，成長於西門町的中華商場，畢業於世界新專廣播電視科。1980年加入「蘭陵劇坊」受到吳靜吉博士的啟發，獲得劇場養分，並因參與電視節目《綜藝100》短劇演出，在1982年獲「第十七屆金鐘獎最具潛力戲劇演員獎」，進而成為家喻戶曉的喜劇演員。1986年成立「屏風表演班」，一路堅持原創，搬演台灣這片土地上的生命故事，使屏風成為華人地區重要的演出團隊。

李國修認為劇作家是靠著生命、情感和記憶來創作。因此，他身為外省第二代、以戰後兩岸分隔的歷史事實，為父執輩編導出關於老兵對家鄉思念的故事《西出陽關》，並以劇中「老齊」一角，被媒體評譽為「最接近卓別林高度的演出」。

引發台灣劇評讚譽最多的《京戲啟示錄》，是李國修為自己做京戲戲鞋的父親而寫。李父家訓「人，一輩子能做好一件事情，就功德圓滿了。」更成為李國修的座右銘。戲劇專家評譽「李國修以個人生命經驗，觸動集體記憶之海」、「《京戲啟示錄》可說是有如神助，場面調度在這齣戲裡靈活到了極點」、「它亦喜亦悲，悲喜交迸，充盈著時代風雨與人生際遇，蘊蓄著歷史厚度與生活實感」；「《京戲啟示錄》最明顯的符號就是戲鞋和中華商場，這對新一代的我們來說，已經成為一種文化遺產」等。此劇啟發無數觀眾對人生追求的意義，成為華人劇壇的榮耀之作。

李國修從尋根到定根，繼而為母親創作《女兒紅》，表達對母親的追憶，也是他對個人的生命旅程與家族歷史，做的一場最深沈告白。影評人聞天祥稱李國修是用舞台說故事的大師，能把家庭點滴化為時代縮影，跨越了性別的侷限，展現炫目的時空魔法以及永不嫌多的情感與寬容。李國修也為兒子創作魔術奇幻劇《鬆緊地帶》、為女兒創作《六義幫》等。

李國修並不是一個有特定風格、特定形式的編劇，他喜歡用不同的體裁、不同的形式來創作，每個作品都以不同的

主題進行探索。如他創作的「風屏三部曲」系列《半里長城》、《莎姆雷特》、《京戲啟示錄》，藉戲中戲的形式，探究劇場與人生之間的微妙關係。國際作家陳玉慧分析，李國修擅長解構主義，能將台灣社會現象及小市民心理，處理成悲喜交加的戲劇文本，也是台灣劇場創作者中最精闢於解構之道的人。

李國修也針對時事，以戲劇角度反映社會現象，如《救國株式會社》、《三人行不行I~V》城市喜劇系列。而對現代男女複雜的情愛關係，他也提出獨特的戲劇手法予以詮釋，台灣戲劇學者于善祿稱譽李國修的《婚外信行為》比英國劇作家哈洛品特（Harold Pinter，1930-2008）的《情人》還要深沈，藝術技巧更高超。

為向莎士比亞致敬，李國修將經典悲劇《哈姆雷特》改編成爆笑喜劇《莎姆雷特》。台灣莎士比亞學權威彭鏡禧教授評譽：「李國修用他縝密的頭腦，幾乎是以數學概念在精算《莎姆雷特》每個場次的角色上下進出，將一齣大悲劇顛覆成喜劇，這當中的編劇技巧相當高超。」而改編自陳玉慧原著小說的《徵婚啟事》，探討都會女性的婚姻態度，也挖掘現代男人的寂寞，李國修更在台上一人分飾二十個應徵男子，挑戰表演的極限；此外，李國修也以眷村故事探討庶民記憶，改編原著張大春小說的《我妹妹》，並入選為中國時報年度十大表演藝術。

李國修認為，在這無限想像的劇場黑盒子裡「空間不存在、時間無意義」，他也認為劇場是造夢的場域，因而在許多

作品裡，李國修讓觀眾對舞台空間有嶄新的視覺體驗。1994年《西出陽關》舞台上呈現磅礡大雨的視覺特效；2002年《北極之光》的雪地極光幻化場面；2003年《女兒紅》百位演員同台、爆破場面震撼人心；2005年《好色奇男子》三千顆燈泡，營造萬點星光搖曳生輝的壯闊場景；2008年《六義幫》全劇超過五十個場次、一百一十五個角色，全場不暗燈，舞台呈現電影蒙太奇般的場景流動。

此外，李國修的戲劇文本繁複巧妙，不但角色人物面貌多端，而情節內容更是幾條主線同時進行，最後在重疊相交時，戲劇張力便達到不可預期之最高潮。所以，李國修獨特的舞台劇風格，總能在觀眾笑聲中抓緊時代脈搏，在娛樂中顯現省思的功能。

李國修對劇場的熱情不僅止於反應在屏風表演班的作品上，他對於提攜演員，更是不遺餘力。其中表現傑出的有：郭子乾（第卅八屆金鐘獎最佳主持人）、曾國城（第四十一屆金鐘獎最佳主持人）、楊麗音（第四十一屆金鐘獎最佳女主角）、林美秀（第四十六屆金鐘獎迷你劇集最佳女主角）、樊光耀（第四十屆金鐘獎單元劇最佳男主角）、萬芳（第卅九屆金鐘獎最佳女主角）、黃嘉千（第四十四屆金鐘獎最佳女配角）等，這不僅使李國修成為金鐘獎頒獎典禮上，最多得獎者感謝的對象外，更讓「屏風表演班」等於「屏風鍍金班」的名號不脛而走。

近年來，李國修致力深耕表演藝術，曾至台北藝術大學、台灣大學、靜宜大學、台南大學開設專業戲劇課程，也受

邀至政治大學、中山大學、成功大學、東華大學、海洋大學、世新大學、清雲科技大學等校擔任駐校藝術家,並走訪各地進行超過千場以上的表演藝術講座。

李國修的作品記錄台灣環境的變遷與時代流轉,為這片土地留下了豐富的戲劇人文面貌。他以戲劇表達對生活的態度、生命的情感,亦期待觀賞者能從中獲得自我省思,這即是李國修致力推動的劇場理念 ──「看戲修心,演戲修行」。

重要獲獎記錄

1997年,獲頒「第一屆國家文化藝術基金會文藝獎戲劇類」得主。

1997年,以《三人行不行》系列劇本創作獲頒「第三屆巫永福文學獎」。

1999年,由紐約市文化局、林肯中心、美華藝術協會共同頒予「第十九屆亞洲傑出藝人金獎」。

2006年,由台北市文化局頒予「第十屆台北文化獎」。

2011年,以《京戲啟示錄》劇本創作獲頒「第卅四屆吳三連文學獎戲劇劇本類」得主。

2012年,由上海現代戲劇谷「壹戲劇大賞」頒予「戲劇精神傳承獎」。

其他出版作品

2004年,《人生鳥鳥》,台北:未來書城。

2011年,與妻子王月共同出版《119父母》,台北:平安出
版社。

屏風表演班
一個台灣的藝術奇蹟

　　1986年10月6日，當時家喻戶曉的電視喜劇演員李國修，因早年出身劇場仍不忘對舞台的熱愛，藉「一群戲子伶人，無處不劇場，甚以屏風界分為台前台後，都可經由台上的演出，反映台下的生活」為草創理念，成立了屏風表演班。團長李國修將自家位於台北景美十坪地下室的房間作為排練場，在狹小空間裡，演員常常走位時，不小心走上了床，踩上了書桌……

　　屏風表演班第一個創團作品《1812＆某種演出》就是在這種拮据的環境下排練出來的。這齣戲在演出結束後，只有七十六個人留下了他們的資料，成為第一批的屏風之友。回首廿餘年漫長的劇場路，屏風之友的人數已逾十五萬人次，觀賞過屏風作品的觀眾，更是已超過一百四十二萬人次。

屏風作品的多元特色

　　屏風表演班共發表四十回作品，演出類型涵蓋喜劇、悲劇、或融合傳統京劇、流行歌舞、魔術科幻等戲劇形式，呈現

多元風貌；關懷層面遍及人際關係、歷史探索、老兵議題、政治情勢、民生現況、家庭情感等生活息息相關的社會議題。

在藝術總監李國修的帶領下，屏風的作品富有嚴謹的結構與解構手法、多重時空的跳躍敘事、演員一人分飾多角表演的豐富性，以及講究多變佈景的舞台美學等，造就屏風作品呈現不同於其他劇團演出形式的最大特色。

此外，屏風表演班並有「系列作品」的創建，其中包括《三人行不行》Ⅰ～Ⅴ城市系列作品；風屏劇團三部曲《半里長城》、《莎姆雷特》、《京戲啟示錄》；以及社會議題系列《民國76備忘錄》、《民國78備忘錄》、《西出陽關》、《救國株式會社》；家變系列《黑夜白賊》、《也無風也無雨》、《我妹妹》；兩性關懷系列：《徵婚啟事》、《未曾相識》、《婚外信行為》、《昨夜星辰》；台灣成長系列《港都又落雨》、《蟬》、《北極之光》、《六義幫》等。

而為長期營運的考量之下，屏風規劃每五年為一期，推出屏風「定目劇」的定期巡演。將屏風歷年叫好叫座的好戲，每隔五年，重新賦予新意，讓未曾看過屏風作品的觀眾感受經典的魅力，也讓看過的朋友再次感動回味。1988年首演的《西出陽關》於1994年重製演出，是屏風表演班第一齣以定目劇形式巡演的經典劇碼。

劇場永續經營的先行者

屏風表演班以建制全職專業劇團為目標,以永續經營為理念,以推廣表演藝術為己任。在藝術總監李國修的堅持下,每年至少推出兩部作品,內容為全新創作或定目劇經典再現。維持團務常態性運作和製作新戲的經費,百分之九十二來自票房收入,其他由文化部、國家文化藝術基金會、各縣市文化局處等的贊助。屏風已是台灣少數能「以戲養戲」自食其力的劇團。

為促進藝術交流多元化,屏風表演班於1996年首創民間劇團主辦演劇祭,連辦五屆(1996~2001年)獨立出資邀請香港進念‧二十面體、新加坡必要劇場、日本Pappa TARAHUMARA劇團等抵台演出,同時也提供演出經費給予有潛力的國內表演團體(如:莎士比亞的妹妹們的劇團、台北曲藝團、神色舞形舞團等)。一方面活絡台灣表演藝術環境,另一方面,亦促成對國際藝文交流的貢獻。

除各城市劇場的大型演出之外,屏風也不定期舉辦各種與戲劇相關的活動,致力藝文推廣。2007年開始,以「小戲大作」之概念,將歷年受歡迎的經典小劇場劇碼,推行至各大校園、機關團體與公司行號,在各地常態性巡演。爾後,更精緻化推出「藝饗巴士」專案系列活動,結合演講、表演課程、藝術行銷講座、劇場幕後導覽等戲劇延伸活動,建構大眾與藝術之間的互動橋樑。

屏風出品，台灣驕傲

全球化來臨的時代，屏風堅信「local is global」的概念，以心用情寫台灣這塊土地上的人事景物情，在作品中反應社會現象，掌握城市脈動，以台灣人的觀點與創意來詮釋這個世界，讓屏風的作品更兼具現代與本土兩種特色，成為華人地區重要的演出團隊。

第十七回作品《救國株式會社》受邀前往紐約，屏風於1992年初次踏上世界舞台，在僑界掀起一陣狂瀾；1994年《莎姆雷特》應上海現代人劇社邀請參加「一九九四上海第二屆國際莎劇節」，成為台灣第一個在大陸登台的現代劇團；1995年《半里長城》與洛杉磯華人戲劇社團「伶倫劇坊」合作，這是第一個在台美兩地同步演出的劇目。

1996年《莎姆雷特》受邀至世界五大古蹟劇場之一的加拿大多倫多「安省國家劇院」演出，成為第一個登陸加國的台灣劇團；同年，《半里長城》再受香港市政局主辦之「第十六屆亞洲藝術節」邀請，在香港大會堂演出，亦是台灣第一個受邀的現代戲劇團體；2007年，《莎姆雷特》受邀至大陸，參與「第七屆相約北京」演出，票房一掃而空，並獲演出謝幕時，現場全體觀眾起立鼓掌八分半鐘的成績。

2008年初，屏風應北京國家大劇院「開幕國際演出季」之邀請，再度前往演出《莎姆雷特》，成為該院第一個受邀演出

的台灣現代戲劇團體。2010年應上海世博「兩岸城市藝術節－臺北文化周」邀請，以《三人行不行》締造謝幕時全場起立鼓掌長達五分五十八秒記錄，旋即趕赴北京參與「2010京台文化節」巡迴演出。2011年12月，《京戲啟示錄》首度在上海演出，令台下觀眾無一不受其巨大震撼與感動。

2010年11月，屏風表演班改編魯凱族「巴冷傳說」浪漫優美的人蛇戀愛情神話，為「2010臺北國際花卉博覽會定目劇」打造原創魔幻歌舞秀《百合戀》，動員百人，建構台灣第一座升降式水舞台（寬十米、深九米），瞬間轉換地面及湖水場景，不禁令人歎為觀止。《百合戀》連演一百九十六場，創下全台三十萬人次觀賞記錄，成績斐然！

放眼過去，屏風從觀眾席只有一百個座位的小劇場，走上現今的世界舞台，成為台灣當代最具代表性的現代戲劇團體之一，不容忽視的是，屏風作品不僅堅持「台灣製造」，並具有原創性、娛樂性與藝術性，可謂「屏風出品，台灣驕傲」！

時至今日（2013年3月），屏風表演班已陸續完成1,692場次的演出，歷年作品巡迴超過海內外二十二個城市，觀眾人數累積至1,427,782位，這是個驚人的紀錄。在藝文環境未臻成熟的台灣，屏風表演班仍能在作品裡持續展現高度藝術成就與穩定的票房收入，這絕對是一個「台灣的藝術奇蹟」！

李國修戲劇作品集與屏風表演班作品關係表

李國修 戲劇作品集 出版序號	創作 年份	書名/劇名
01	1989	《半里長城》
02	1992	《莎姆雷特》
03	1996	《京戲啟示錄》
04	2003	《女兒紅》
05	1987	《三人行不行Ⅰ》
06	1988	《三人行不行Ⅱ－城市之慌》
07	1993	《三人行不行Ⅲ－OH！三岔口》
08	1997	《三人行不行Ⅳ－長期玩命》
09	1999	《三人行不行Ⅴ－空城狀態》
10	1987	《婚前信行為》
11	1988	《民國76備忘錄》
12	1988	《西出陽關》
13	1988	《沒有我的戲》
14	1989	《民國78備忘錄》
15	1990	《港都又落雨》
16	1991	《救國株式會社》
17	1991	《鬆緊地帶》
18	1991	《蟬》
19	1993	《徵婚啟事》
20	1994	《太平天國》
21	1997	《未曾相識》
22	1999	《我妹妹》
23	2001	《婚外信行為》
24	2002	《北極之光》
25	2005	《好色奇男子》
26	2005	《昨夜星辰》
27	2008	《六義幫》

英文譯名	屏風表演班演出序號
The Half Mile of The Great Wall	第十一回作品
Shamlet	第廿回作品
Apocalypse of Beijing Opera	第廿五回作品
Wedding Memories	第卅四回作品
Part I of Can Three Make It : Not Only You And Me	第三回作品
Part II of Can Three Make It : City Panic	第九回作品
Part III of Can Three Make It : Oh! Three Diverged Paths	第廿一回作品
Part IV of Can Three Make It : Play Hard	第廿七回作品
Part V of Can Three Make It : Empty City	第廿九回作品
Premarital Trust	第二回作品
Memorandum of 1987, Republic of China	第五回作品
Far Away from Home	第六回作品
A Play Without Me	第七回作品
Memorandum of 1989, Republic of China	第十三回作品
Rainy Days in Port City, Again	第十五回作品 暨高雄分團創團作品
Nation Rescue LTD.	第十七回作品
The Twilight Zone—Back to Tang Dynasty	第十八回作品
Cicada	第十九回作品
The Classified	第廿二回作品
The Kingdom of Paradise	第廿三回作品
Are You The One	第廿六回作品
My Kid Sister	第卅回作品
Extra-Marital Correspondence	第卅一回作品
The Aurora Borealis	第卅三回作品
Legend of a lecher	第卅五回作品
Last Night When The Stars Were Bright	第卅六回作品
Stand by Me	第卅八回作品

莎姆雷特

© 2013 李國修

本書文字與圖片由著作權法保障，未經同意任意擷取、剽竊、盜版及翻印者，
一切將依法追究。任何演出，不論商業或非商業，皆須得作者之書面同意。
關於演出之申請，請洽屏風表演班。

發行人	李國修
作者	李國修
責任編輯	林佳鋒
美術編輯	北士設計
文字編輯	謝佳純／洪子薇
文字校對	黃毓棠／黃致凱
美術執行	吳宜珊
出版	印刻文學生活雜誌出版有限公司 | INK Literary Monthly Publishing Co., Ltd.
	23586新北市中和區中正路800號13F-3
	Tel 02-2228-1626　Fax 02-2228-1598
	http://www.sudu.cc　ink.book@msa.hinet.net
印刷	海王印刷事業股份有限公司
發行	成陽出版股份有限公司
	Tel 03-358-9000　Fax 03-355-6521
	郵政劃撥 19000691　戶名 成陽出版股份有限公司
港澳總經銷	泛華發行代理有限公司
	香港筲箕灣東旺道3號星島新聞集團大廈3樓
	Tel 852-2798-2220　Fax 852-2796-5471
	http://www.gccd.com.hk
出版日期	2013年5月 初版
定價	NT$ 200

屏風表演班 Ping-Fong Acting Troupe
11661 台北市文山區興隆路四段111號B1
B1,No111,Hsing-Lung Rd.Sec.4,Taipei City 11661,Taiwan
Tel 02-2938-2005　Fax 02-2937-7006
http://www.pingfong.com.tw　pingfong@pingfong.com.tw

國家圖書館出版品預行編目資料

.....

莎姆雷特／李國修 著
初版－－新北市：INK印刻文學：2013.05
200 面；14.8 × 21 公分--（李國修戲劇作品集；2）
ISBN 978-986-5933-66-1（平裝）
854.6　　　　　　　　　　102003867